フォト・メモワール

ケネディ回想録

フォト・メモワール

ケネディ回想録

ジャック・ロウ
Jacques Lowe
龍和子 訳
Kazuko Ryu
序文 トマシーナ・ロウ
Thomasina Lowe

原書房

◆著者略歴
ジャック・ロウ（Jacques Lowe）
1930年、ドイツ生まれ。母親がロシア系ユダヤ人であったため、大戦中の子ども時代は身を隠すことを余儀なくされ、その後合衆国に移住した。フォトジャーナリストとして、当時の一流雑誌に寄稿し、1956年にはロバート・F・ケネディと出会い、その２年後に将来の大統領に紹介される。そして、1960年の大統領選挙運動では、ジョン・F・ケネディの公式カメラマンとなり、その後も大統領専属のカメラマンをつとめる。ケネディ大統領暗殺の５年後におきたマーティン・ルーサー・キングとボビー・ケネディの暗殺後、ロウはヨーロッパへわたり、アート・ディレクターとして活動する。出版社も設立し、多くの芸術書を刊行して好評を博した。1980年代に合衆国に戻り、カメラマンとしての活動を再開、ケネディ家との撮影を通じた交流もふたたびはじまった。ジャズ・カメラマンとして名声を得る一方で、キューバ、ソマリア、旧ソ連など、世界各地に足を運びプロボノ活動も行った。2001年、死去。

◆訳者略歴
龍和子（りゅう・かずこ）
翻訳家。北九州市立大学外国語学部卒。軍事・歴史・政治関連書の翻訳および翻訳協力多数。神奈川県川崎市在住。

MY KENNEDY YEARS
by Jacques Lowe
Published by arrangement with Thames and Hudson, London.

Designed by Adam Brown_01.02
This edition first published in Japan in 2013 by Hara Shobo, Tokyo
through Tuttle-Mori Agency, Inc., Tokyo

2ページ：ジョン・F・ケネディ、1960年

6ページ：大統領選挙運動初期に使ったキャロライン号搭乗中のジャック・ロウのセルフポートレート

8ページ：ロバート・F・ケネディと息子のマイケル、1958年

ケネディ回想録

●

*2013*年 *10*月 *31*日　第 *1* 刷

著者………ジャック・ロウ
訳者………龍《りゅう》 和子《かずこ》
装幀………川島進（スタジオ・ギブ）
本文組版………株式会社ディグ

発行者………成瀬雅人
発行所………株式会社原書房
〒160-0022　東京都新宿区新宿1-25-13
電話・代表 03(3354)0685
http://www.harashobo.co.jp
振替・00150-6-151594

ISBN978-4-562-04927-1

目次

2001年９月11日朝のニューヨーク。わたしはこれまでに経験したことのない道徳的ジレンマに直面していた。父が倉庫に使っていたビルからほんの数ブロックのところで起こりつつある倒壊の大きさに気づいたとき、わたしは、自分の命を第一に考えるか、父が現代政治家のなかでも傑出した人物を記録した、貴重なネガを救うべきか自問したのだ。ネガは、５ワールド・トレード・センターの金庫室に保管されていた。

そのわずか４カ月前の５月12日に亡くなった父は、アメリカ合衆国第35代大統領、ジョン・フィッツジェラルド・ケネディの写真の保管をわたしにまかせていた。わたしは、ワールド・トレード・センターをめざして走るべきか、身の安全をはかるべきか、迷いに迷っていた。わたしには、ネガを救うことしか頭にない父が、人や車の流れに逆らってブロードウェイをひた走る姿が見えるようだった。父ならひとかけらの迷いもなかっただろう。父のなかのありとあらゆるものが、金庫のなかのかけがえのない作品を回収しようと、あの場所へと駆りたてていたはずだ。父がそれ以外の行動をとることなど考えられなかった。

だが、どうするか決める役はわたしにまわってきてしまった。わたしは自分の命を優先させた。いまでも、わたしはあのとき陥ったジレンマにとりつかれている。

その後、わたしは残っているネガがあれば回収しようとした。しかし、ガレキの下から出てきた金庫は驚くほど無傷だったものの、なかのネガはすべて破損していた。その朝手にとったもえさしのなかから、わたしは父の記録をどうにか再生させようとした。そして進んだテクノロジーのおかげで、父が選び保管していたプリントとコンタクトシートのすべてをスキャンし、保存することができたのである。ネガが失われたいま、それは父の作品を残す貴重な記録となっている。

ニューヨークで起きたあの恐ろしいテロから、10年以上をへて出版されるこの書は、悪夢のような恐怖のあとにも、再生は可能だというあかしでもある。

トマシーナ・ロウ

序文

1958年9月初旬の夜、わたしはニューヨークにある自分のスタジオで作業中だった。電話が鳴ったのは、もう深夜のことだったと思う。妙になれなれしいがこもった感じの声が聞こえてきた。

「ロウさん？」

「ええ」わたしは用心深く答えた。

「ジョー・ケネディだが」

きっといたずら電話だ。当時のジョーゼフ・ケネディといったら、ケネディ家の息子たちが足元にもおよばないような、雲の上の存在だった。

「ジョー・ケネディだって？　だったらこっちはサンタ・クロースだ」

「いやいや、本物だよ。今日はわたしの誕生日でね。ボビーに君が撮った家族写真をもらったんだ。いやぁ、実にすばらしい」

さすがにわたしにも、それがジョーゼフ・ケネディその人だということ、それに誕生日を祝って何杯かきこしめしていることがのみこめた。

「あれはこれまでで最高の誕生祝いだよ。ほかの息子も撮ってもらいたいんだが」

「どの息子さんでしょうか」とわたし。

「ジャックだ。あさってあたり、わたしのオフィスに来られるかい？」

わたしは、承知しました、と答えたが、相手に話を合わせ、電話を切ってもらうために言ったようなものだった。忘れられているだろうとは思いつつも、2日後にオフィスに出かけてみた。ところが、ハイアニスポートに行くようにというジョーの言葉に、わたしはめんくらうことになった。

こうして、わたしがケネディ家とともに歩んだ冒険のような日々ははじまった。

プロローグ

1

上院議員との出会い

ケネディ家の面々と顔を合わせるまでにも、わたしは平穏とはいえない生活を経験していた。わたしは1930年にドイツで生まれた。父はドイツ人、母はロシア系ユダヤ人だ。ナチが学校からユダヤ系の子どもを排除しはじめると、わたしは学校から遠ざけられ、戦時中は母と隠れて暮らした。戦後の数年間は苦労した末、1949年になってわたしたち家族は合衆国に移住した。わたしは19歳。9歳以降学校には通っていなかった。

ドイツにいるころに観た『海外特派員』は、強く印象に残っていた。ジョエル・マクリー演じる、トレンチコート姿の怖いもの知らずのジャーナリストが登場する映画だ（これまでに観た回数は10回をくだらない）。写真にはずっと興味があったし、この映画への憧れもくわわって、わたしはごく自然にフォトジャーナリズムの道へと進んだ。ポートレート写真の巨匠、アーノルド・ニューマンはじめ、いく人かのカメラマンのアシスタントをふりだしにわたしのカメラマン人生ははじまった。アシスタント時代に、ライフ誌の若手カメラマン向けコンテストで賞を獲ったわたしは、才能を認められたのだと考え、ひとり立ちした。

最初の2年はどう金のやりくりをつけたのか、自分でもいまもって謎だが、それ以降は仕事が入ってくるようになり、ごく若いうちに名が売れた。ライフ誌のほか、ルック、コリアーズ、サタデーイブニング・ポスト、タイム、コロネット、パリマッチ。当時はフォトジャーナリズム全盛期だった。記事の依頼さえくれば8ページから12ページもらえるのだから、クリエイティブな仕事ができるのはもちろん、金銭面でも非常に恵まれていた。当時、ジャーナリストのピエール・サリンジャーと仕事をしたことがある。わたしたちはコリアーズ誌でハンガリー動乱の記事を担当したのだが、コリアーズ誌が突然廃刊されたために、これが掲載されることはなかった。この仕事の前に、ピエールはトラック運転手組合にかんする調査記事をてがけていた。一方、ロバート・ケネディは上院政府活動委員会の主席顧問になり、その小委員会が労働搾取問題の調査を担当していたことから、わたしはピエールをボビーに紹介したのだった。

わたしがボビーに覚えてもらったのには、おもしろいいきさつがあった。ボビーの主席顧問という立場はワシントンではとくに注目を集めるものではなく、わたしが写真撮影を依頼されたのも3誌にすぎなかった。それぞれ別個の仕事

p.10：ジャック・ロウ28歳。フォトジャーナリストとして成功し、ジョン・F・ケネディと出会った当時。

ワシントンDC、1956年

見た目の若さに反し、ボビーは労働搾取問題を調査する上院委員会の顧問として、検事役を容赦なくつとめて評判をとった。当時上院多数党院内総務だったリンドン・ジョンソンは、いつもボビーに「サニーボーイ」と親しみをこめたあいさつをしたが、ふたりの関係は悪化した。

だったが、撮影はすべて1956年のある週に集中した。そういうわけで、3度目の撮影に出向いたときには、ボビーはわたしが3誌の仕事を仕切っているのだと思っていて、その場で自宅での夕食に招いてくれた。親しいつきあいがはじまり、わたしはヒッコリー・ヒルや、ヴァージニア州マクリーンのボビーの自宅で週末を過ごすようになった。ボビーの家はカメラマンにとって天国だった。どこからなにが飛び出すかわからない。当時は子どもが5人と、いろんな種類の犬、猫、アヒルにロバがいた。フットボールのゲームをしたり、プールで泳いだり。ときにはわたしも娘のヴィクトリアをつれて行って、とても楽しませてもらった。あるとき、帰宅すると娘はこう言った。「パパ、あそこにあるおかしやおもちゃは、ニューヨークのあたしのうちの1年分より多いよね」

わたしはカメラを肌身離さずもっていたので、ボビーの家でもとにかく写真を撮りまくった。そのどれもが、その場で自然に撮ったものだ。1年がたつころ、わたしはボビーの招きにお礼をするつもりで、ヒッコリー・ヒルで撮った写真のなかからこれはと思うものを選んだ。そして11×14インチサイズの写真を124枚現像して、ボビーにプレゼントとして送った。ボビーはとても喜んでくれて、数日後に、もう1セットもらえないかと言ってきた。

「枚数が多いけど、なんに使うんです？」とわたしは聞いた。

「もうすぐ父の誕生日なんだ。プレゼントにしたいんだよ」

ボビーの求めに応じたわたしは、2カ月後の真夜中にジョー・ケネディが電話をかけてくるまで、その誕生日プレゼントのことはすっかり忘れていた、というわけだ。

ハイアニスポートでジャック・ケネディとはじめて会ったときには、あまりいい印象はもたなかった。ジャックは上院議員再選に向けた選挙運動中で、10日間の地方遊説のまっただなかだった。週末にハイアニスポートで休養したらまた5日間の遊説に戻るというスケジュールでは、カメラマンは一番会いたくない相手だ。わたしが来ることを、その日の朝に父親から知らされたばかりとあってはなおさらだった。ジャックは、ほんとうならもっとくつろいだ格好でのんびりしているときに、父親に言われたとおり、スーツに白いワイシャツ、ネクタイという服装で待っていた。それ以降、大統領に選出されるまでは、ジャックがスーツとネクタイ姿でケープ・コッドにいたことはなかったと思う。わざと、とまではいわないけれど、ジャックは慇懃無礼だったし、わたしのほうも、この上院議員にそれほど好感をもっていたわけではなかった。ジャッキーのほうがずっと感じがよかった。こういう場合にはどんなフィルムを使うのか、というような専門的な話題をふってくれたし、自分とキャロラインもいつでも撮影に応じられるように準備してくれていた。撮影をはじめると、当時まだ1歳にもなっていなかったキャロラインのおかげで、上院議員もいくらか態度がやわらいだ。キャロラインがジャッキーのパールのネックレスを口にもっていく瞬間をとらえた写真も、このときのものだ。これは、わたしがケネディ家を撮った写真のなかで、はじめて評判を得た１枚になった。この日は、選挙用ポスターに使うジャックだけのポートレートも数枚撮影した。

撮影後、わたしは昼食と夕食をよばれた。まだよそよそしさの残るジャックがしゃべっていたのは、おもに選挙運動のむずかしさのことだった。ボストン育ちではあるが、自分はアイルランド出身というわけではないから、アイルランド人との近所づきあいはむずかしい、というようなことを話していた。たぶん、裕福な家のおぼっちゃまとしか見られていないと言いたかったのだろう。結局のところマサチューセッツ州の本命で再選確実なのだから、なぜそんなにしゃかりきになっているんだろうと、そのときは不思議に思ったが、まもなく腑に落ちた。すでにジャックは大統領選に狙いを定めていて、マサチューセッツ州での圧勝以外は眼中になかったのだ。翌日わたしはニューヨークに戻ってフィルムを現像し、コンタクトシートと請求書を送った。写真のできに十分満足していたわけではないし、その後なにも言ってこなかったので、この仕事はうまくいかなかったのだと思っていた。

数週間後、また深夜の電話があった。今度はジャック・ケネディからだ。「いまニューヨークだ。今夜のうちに出てこられるかな。朝には発つんだ」。ジャックはパーク・アヴェニューにあるジョーゼフ・ケネディ所有のビルにいた。

服を着たわたしはタクシーをひろった。アパートメントのドアが開くと、シャワーを浴びたばかりのジャックが、タオル１枚巻きつけただけの格好で立っていた。玄関まで水のはねる音が響いている。ジャッキーがまだバスルームにいるのだ。「ロウさん？」ジャッキーが声を張り上げた。「このあいだの写真、とってもよかったわ」

それからわたしたちは腰をおろして15分ほどしゃべり、ジャックが、ハイアニスポートで撮影した日のことを謝り、すいぶんよそよそしく失礼な態度をとったが、遊説に疲れてイラついていたのだと釈明した。ジャックはわたしが送ったコンタクトシートをとり出した。あんな状況だったのに、実にいい写真が撮れてるよ、とジャックは言った。コンタクトシートを床に広げ、わたしは手とひざをついて目を通した。タオル１枚のままのジャックは上から見下ろしている。そしてふたりで、政治活動に使える写真を何枚かと、クリスマスカード用の家族写真を選んだ。

ジャックに好印象をもったのはそのときがはじめてだ。魅力があってマナーもよく、気さくだった。政治上は、わたしは民主党のアドレイ・スティーヴンソン支持だった。ジャックのことは、法案提出にもたいして熱心ではないプレイボーイの上院議員で、若い美女を口説いて結婚したことのほうが有名だ、というくらいにしか思っていなかった。父親がジャックに大きな期待をかけていることは知っていたけれど、わたしにはまだ、ジャック本人が明確な目的をもっているようには見えなかった。

ヒッコリー・ヒル、1958年

ヒッコリー・ヒルやヴァージニア州マクリーンのボビーとエセルの自宅を訪ねるとき、ロウの手にはいつもカメラがあった。夫妻は、乗馬やタッチ・フットボールのチームを作ってキャプテンを務め、敵味方に分かれて競うのを楽しんだ。ボビーは優しく、思いやりのある父親でもあった。抱いているのは息子のデヴィッド。

ボビーとエセル夫妻の家族は増えていき、ロウは家族写真を多数撮影した。子どもたちは、左からジョー2世、ボビー・ジュニア、コートニー、デヴィッド、キャスリーン、マイケル。

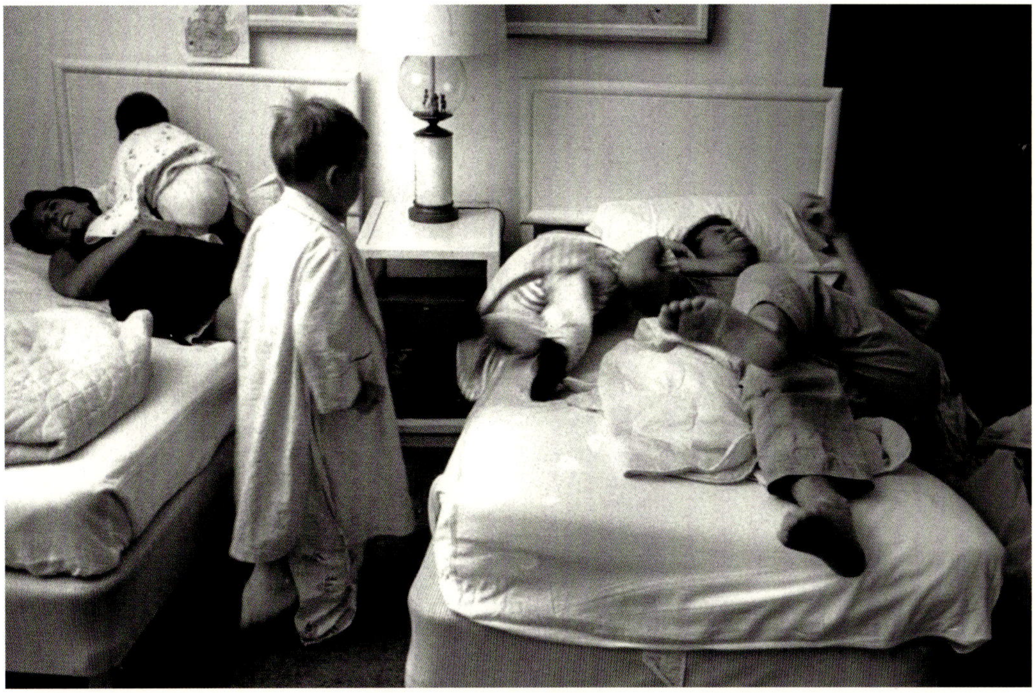

後年ロバート・ジュニアは、「目が覚めたときもベッドに入るときも」ロウが家のなかにいたと語った。寝る前には、お祈りはもちろん、子どもたちと両親が大騒ぎすることもよくあった。

ハイアニスポート、1958年晩夏

1958年の晩夏、ハイアニスポートではじめてロウの撮影にのぞんだとき、ジャックは気のりせず、固いポーズに終始した。撮影を手配したジョー・ケネディは、息子にスーツを着るよう命じていた。ジョーと孫娘のキャロラインのショットは、ずっとくつろいだ雰囲気のものになった。

「相手してみればわかるが、ジョー・ケネディは魅力的だが厄介な人だった。敵にはまわしたくないね」

ジャッキーとキャロラインが撮影にくわわると、ジャックの肩の力も抜けた。キャロラインがジャッキーのパールのネックレスを口にもっていくショットは、ロウがケネディ家を撮った写真のなかで、はじめて評判を得た１枚になった。ジャッキーは、クリスマスカード用の家族写真を選んで×を７個つけたが、キャロラインを×２個の写真ととりかえられないかしら、とロウにたずねた。

数週間後、ジャック・ケネディはマサチューセッツ州の選挙に圧勝し、政界のスターに躍り出た。思惑どおりジャックは、1960年の大統領選挙に向けた、民主党候補の本命として名がとりざたされるようになっていた。わたしはジャックの義弟であるスティーヴン（スティーヴ）・スミスから電話をもらった。ボビーが本格的にかかわるまで、選挙運動をとり仕切っていた人物だ。わたしはワシントンのエッソ・ビルのなかのスイートによばれ、スミスから、ジャックが予備選挙に出るため、おりおりに同行するカメラマンが必要だと説明を受けた。わたしに興味があったかって？　もちろんだ。

「依頼料はどれほどだい？」スミスはたずねた。わたしたちは日に150ドルプラス実費で合意し、費用について話し合ったのはあとにも先にもそれきりだった。

予備選挙のシーズンが正式にはじまったのは1960年春だが、そのずっと以前にジャックの遊説ははじまり、日程も増えていった。わたしはスティーヴ・スミスから、2、3日ネブラスカ州に行けるか、という電話を受けた。そしてラガルディア空港のバトラー航空のターミナルへと向かい、そこでジャック、スティーヴほか数人のスタッフと落ち合って、専用機に乗りこみ離陸した。事前にスケジュールが組まれたものでもなく、ごく非公式な活動のようだった。わたしはスティーヴにたずねた。「どんな写真が欲しいんです？　動きまわっているところか、ポートレートか。なんに使うつもりです？」

「写真しだいだね」とスティーヴは言った。「わかってるのは写真がいるってことだ。あとはアーティストの君の仕事さ」

わたしは毎回スティーヴにコンタクトシートと請求書を送り、支払いは受けたが、写真についてどうこう言われることはほとんどなかった。ネブラスカ州行きは民主党員とのバーベキューのためのもので、そこでジャックの見きわめが行われるのだ。地元政治家のスピーチはだらだらと続いたものの、ジャックは集まった人たちにいい印象を残したようだった。その日わたしが撮った写真の1枚は選挙運動のポスターに使われ、選挙を前にいたるところで目にするようになった。

もちろん、そのころジャックは全国的にはまだ無名で、見た目にはあまり感心しないところもあった。ネブラスカのあと、わたしたちはオレゴン州へと向

2

合衆国国民を魅了する

p.24：予備選挙戦初期の遊説でキャロライン号に乗りこむジャック。タラップ最上段で待つのはデイヴ・パワーズ。ジャックを支える「アイリッシュ・マフィア」の一員で、議会にはじめて立候補したときから大統領時代までジャックの側近だった。

かったが、ポートランドに降りたときに出迎えた支持者はたったの３人だった。オレゴン州の小さな町の食堂でジャック、ジャッキー、スティーヴ・スミスが夕食をとったときには、だれも気づかず、寄ってくる人もいなかった。注目度の低さにジャックが意気消沈することもあった。同じオレゴン州での遊説旅行中に、ジャックはクース・ベイで港湾労働者たちを前に演説したが、聞き手は少人数で、反応も好意的とはいえなかった。組合のホールの外で演説を終えたジャックと会うと、こう聞かれた。

「さっきの演説、どうだった？」

「あなたの立候補を喜んでるようには見えませんね」

「まあね。あいつら、とにかくだれだろうと気にくわないんだ。無理すんなよ、で終わりさ」

だが、相手の人数が少なかろうが、好意的でなかろうが、とにかくジャックはいつもスーツを着て、真っ向から率直に話しかけた。まだ自然体でしゃべるというわけにはいかなかったが、南部なまりをまねてみたり、こびたりはしなかったし、えらぶったしゃべりかたをすることもなかった。人と接するときのそういう姿勢は、名家の育ちではあっても、平等主義者といえた。南北ダコタ州のどこか、西部の小さな町で、あるDJにインタビューを受けたときだったと思う。DJは、ジャックが敬愛するシャルル・ド・ゴールをこきおろした。そのまま続けさせてもなんということはなかっただろうに、ジャックは口をはさみ、ド・ゴールの自伝を引用した。本の内容を一語一句たがわず口に出すことで、DJに反論したのだ。ジャックは速読ができ、読んだものはほぼすべて覚えているようだった。

遊説のあいまに、わたしはワシントンでジャックとジャッキーの写真を撮ることもあった。ふたりはジョージタウンのNストリートに美しいタウンハウスをかまえていた。ジャッキーは、自宅をすっきりと上品に飾った。社交生活自体も派手ではなく、たびたびもうけていた夕食会もささやかなものだった。客は政治家よりも新聞記者が多く、ウォルター・リップマン、ジェームズ・レストン、ジョー・クラフトらが招かれていた。当時ニューズウィーク誌のワシントン支局長だったベン・ブラッドリーも、しょっちゅう顔を出していた。ジャッキーはのちに、子どもたちをメディアにさらすことを極端に嫌うようになるが、当時はまだ、慎重ではあったもののオープンだった。わたしは、ジャッキーがジョージタウンの自宅でキャロラインと遊ぶ、とてもほほえましい写真を何枚か撮っている。それにジャックは、キャロラインとポーズをとるよう頼むと、そのときの気分がどうあれ、いつも笑顔で応じてくれた。

写真にかんしては、わたしはジャックとジャッキーの板ばさみになることがあった。わたしの仕事で肝心なのは、ジャックの大統領選出に一番効果の上がるメディアに写真を出すことだ。ヴォーグ誌がジャックの写真を数枚欲しがったときには、ジャッキーは小躍りして喜んだ。一方ジャックはわたしにこう言った。「くそっ。共和党のご婦人方30万を相手にしたからってなんになる！」。逆に、550万部発行のモダン・スクリーン誌がジャックの写真を掲載したときには、それが発行されるとジャッキーは怒り狂った。この仕事を受けたのはジャックなのに、ジャッキーの怒りはわたしにぶつけられた。

わたしはジョー・ケネディともめたこともあった。相手してみればわかるが、魅力的だが厄介な人だった。ジョーはわたしに、1958年11月のテディとジョーン・ベネットの結婚式の写真撮影を依頼してきた。結婚式の撮影という仕事にはのり気になれなかったので、わたしには手に負えないし、ほかのカメラマンも同じだろうと断わった。テレビカメラのライトが点滅し、ほかのカメラマンもフラッシュをたく状況では、いい写真が撮れるチャンスは少ない。それでもジョーは費用を言えと迫ったので、わたしは2000ドルを要求してやった。これならあきらめると思ったのだが、そうはことが運ばなかった。結婚式はまるでお祭り騒ぎだった。テレビカメラや記者がどっとおしかけ、祭壇のうしろから飛び上がる者までいる始末だ。ほかのカメラマンが写りこまないように撮るだけでもひと苦労だった。テレビライトが点くとわたしはカメラを調整するのだが、そのとたんにライトが消えて写真は暗くなる。懸念したとおり、写真のできはあまりよくなかった。ジョーは写真が気に入らず、支払いを拒んだ。

「申し訳ありません。でも、これはお遊びではないんです。わたしは撮りたくないし、いい写真は撮れないだろうとも言いました。それでもぜひにと、2000ドル払うとおっしゃったのはあなたなんですよ。ですから支払いをお願いします」。わたしが抗議すると、ジョーは、君の言うとおりだと謝り、支払いをすませてくれた。

1959年9月には、ジャックへの注目度も高まりはじめていた。演説に集まる聴衆は増え、予備選挙前のイベントをあつかう報道も多くなっていた。キャロライン号と名づけた専用機で出かける遊説の旅は長く、頻繁になっていった。週に2日のつきあいだったものが、週に4日になるというぐあいだ。それでもまだまったくの非公式な旅で、警護の担当もいなかった。飛行機に空席があるときには、わたしがひとりやふたり友達をつれていても、だれも気にしなかったくらいだ。ジャックの勢いが増していることをわたしがはじめて実感したのは、晩秋のカリフォルニア州への遊説だった。オークランドのミルズカレッジでは、ジャックが聴衆と真摯にやりとりするようすも見られるようになっていた。学生がジャックの信仰について厳しく問いただすようなときでも、ジャックはそれをかわそうとはしなかった。わたしが支持するスティーヴンソンは、聴衆に向かって一方的に演説するだけだったが、ジャックは遊説を重ね、人々に語りかけることができるようになっていた。

ネブラスカ州オマハ、1959年

非公式ではあるが、初遊説に出かけたネブラスカ州オマハでの１枚。州議会議員、党職員、農民など、すでにジャックを支持する地元民主党員とのバーベキューに参加した。この時点ですでに、ケネディと選挙アドバイザーたちはオマハの支持者たちの陳情を受けている。バーベキューがはじまる前に、ジャックは記者会見を行った。

「その日撮影したうちの１枚が選挙の全国キャンペーン用ポスターに使われ、いたるところで目にするようになった」

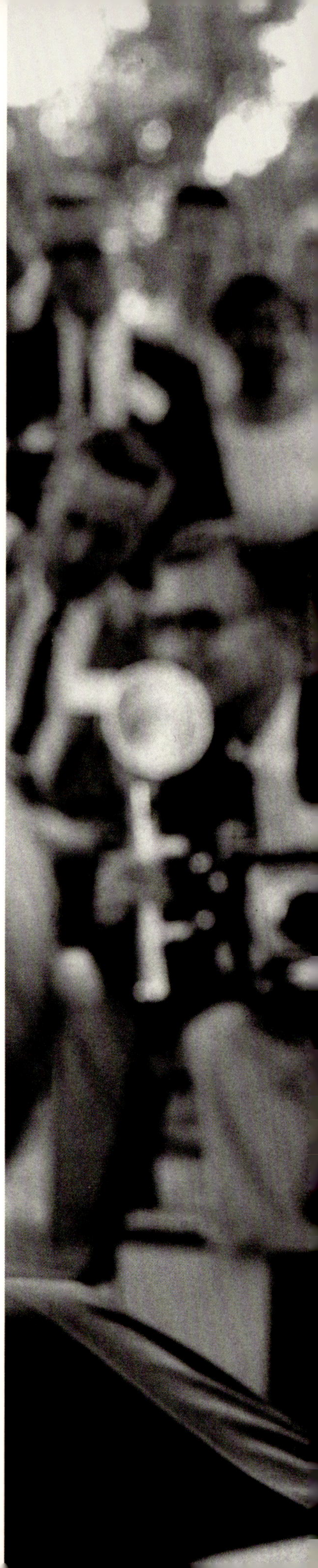

オマハの民主党員とのバーベキュー大会に参加し、チキンを食べ、党員と触れ合うケネディ。この時点では表現力はまだまだだったが、両手を上着のポケットにつっこむという彼独特のスタイルはもう見せるようになっていた。

「ケネディはえらぶったしゃべりかたは絶対にしなかった…。演説を聞き終えた人たちが盛り上がっているときもあれば、つまらなそうにしていることもあったけれど、その人たちが、見くだしたようなあしらいを受けることだけはなかったよ」

WEST COAST

オレゴン州ポートランド、1959年

「まだ公式のものではない」選挙運動中には、大統領候補を迎えてくれる人は多くはなかった。この写真でジャック、ジャッキーとふたりのスタッフを出迎えるのは、女性議員のイーディス・グリーン（中央）がつれてきたごくわずかな人たちだ。

「ジャックは、1959年の凍えるような日、ポートランド空港に到着したときの写真がのるページを開いた。出迎えたのが、たった3人のときのものだ。ジャックは言った。『この日のことなんてだれも覚えてはいないだろうが、だからこの写真が好きなんだ』」

オレゴン州ペンドルトン、1959年

草の根の支持を集めるためには、地方の資金調達パーティーへの出席が欠かせなかった。選挙運動初期には、延々と続くスピーチや夕食会にジャックがうんざりしないように、ジャッキーがそばについて支えた。

GOO

ペンドルトンのレット・ハー・バック・モーテルで一夜を過ごし、日曜朝のミサに出席したあと、朝食をとるジャック、ジャッキー、スティーヴ。こうしたおしのびの行動も、わずか数カ月後にはできなくなる。

オレゴン州クース・ベイ、1959年

組合の集会所。参加者は少なく、聞き手の反応も悪かった。ジャッキーは港湾労働者を盛り上げようと一生懸命だった。

組合の集会所での期待はずれの
反応に、ゆううつそうな表情で
桟橋をぶらつくジャック。

「大統領候補になるための予
備選挙は孤独な闘いだ。この
選挙運動より厳しい試練なん
て、めったにないよ」

「ジャックは高校で演説することも多かった。はじめのころの非公式な『選挙運動』が、理屈のうえでは政治活動ではなかったせいもあるが、ほかに演説の日程を入れられなかったんだ。それに高校生には選挙権はなくても、候補者にいい印象をもてば、まっさきに親たちにその話をするからね」

オレゴン州クース・ベイの高校生たちはジャッキーのスターのようなオーラにひきつけられ、ジャックが話を終えると、ジャッキーにサインをせがんだ。

ワシントンDC、1959年

ジョージタウンの自宅を出てオフィスに向かうとき、ジャッキーとキャロラインに「行ってきます」を言うジャック。ジャックは娘に「ボタン」というニックネームをつけていた。

1959年の選挙運動初期、ジャックは、議会の仕事とジョージタウンでの生活のあいまをぬって遊説に出かけた。のちのテレビのインタビューでジャッキーは、キャロラインが「裏庭とビニール・プールが大好きで…でも、ちゃんとわかっていて、大人が仕事の話をしているとそこを離れるんですよ」と語っていた。予備選挙のシーズンがはじまると、ジャックはほぼ休みなく遊説に出るようになる。

「ジャッキーはのちに、子どもたちをメディアにさらすのを極端に嫌がるようになるが、当時はまだ、慎重ではあったがもっとオープンだった」

ジャックの上院議員のオフィス。時間があるときには、ジャッキーはジャックの演説用の調べものや、フランス語の資料の翻訳などを手伝った。これ以降、ジャックはメガネをかけた写真を撮らせないようになった。たびたび訪問客があるので、上院議員はくだけた雰囲気だ。下は、労組の役員団が訪問中の写真。

ニューヨーク州ブロンクスビル、1958年11月

スペルマン枢機卿が司式したエドワード・ケネディとジョーン・ベネットの結婚式は、タブロイド紙で大きくとりあげられた。披露宴はブロンクスビル・カントリー・クラブで行われ、ケネディ一族が集結した。同月には、ジャックが上院議員に再選されていた。

「結婚式はまるでお祭り騒ぎだった。テレビカメラや記者がどっとおしかけ、祭壇のうしろから飛び上がる者までいる始末だ。ほかのカメラマンが写りこまないように撮るだけでもひと苦労だった」

ロウは結婚式の撮影なんてまっぴらで、こんな状況ではいい写真なんか撮れるわけがないと思った。それでも仕事を受けた義理で、ダンスフロアで花嫁と踊るジャックをとらえた。ロウのお気に入りは、もの憂げにみつめるジャッキーのショットのほうだ。

選挙遊説の機中で

ジャックのチームは、1959年9月から、キャロライン号と名づけたケネディ専用のコンベア機を使った。ジャックが1960年1月に立候補を表明すると、選挙アドバイザー、スピーチライター、広報担当からなるチームは大所帯になった。

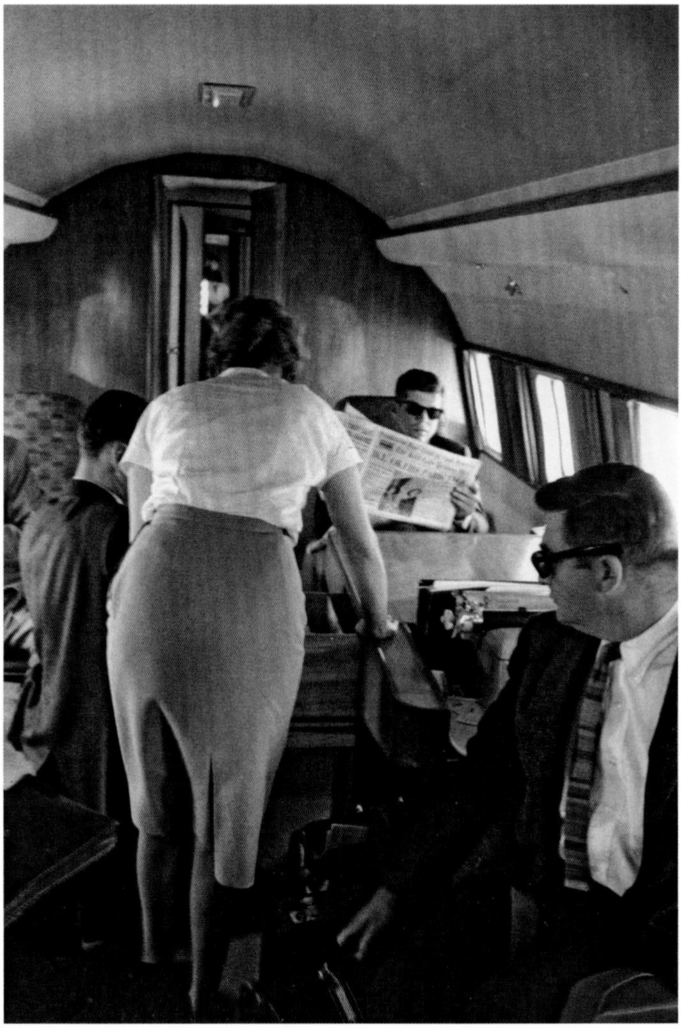

「ジャックはかならず、これから行く地域について側近からじっくり報告を受けていた。機中では食事をしながらローカル紙にも目を通していたが、当時はまだジャックの名は新聞の一面にはなかった。選挙運動に向かうときの食事はいつも、クラムチャウダーとステーキ。たまにはハイネケンがついた」

選挙戦初期の遊説にはジャッキーもできれば同行し、年配のご婦人たちを招いてティー・パーティーを開いたり、農機具のオークションに顔を出したりしてジャックを手伝った。だが選挙戦中にジョン・ジュニアを妊娠したため、露出は減った。下の写真は、ジャック・ケルーアックの新刊書『禅ヒッピー』を読むジャッキー。ジャッキーはいつもおしゃれだったが、着飾りすぎないよう気をつけていた。チェックのスーツはフランス人デザイナー、ボブ・ブーニョンの作品。ジャッキーが、有権者の歓心を買うために自分のスタイルを変えるようなことはなかった。

カリフォルニア州オークランド、1959年10月

有名女子大のミルズカレッジで。ジャックには以前よりもゆとりが見られ、手振りをまじえて力説するスタイルもとりいれていた。若い女子大生たちや、たまにいる男性大学院生との対話にも説得力があった。ミルズカレッジ訪問がターニング・ポイントになったと思う。

22A 23 23A 24 24A 25 25A 26
SAFE•TY FILM
20A 21
19A 20
18A 19
18
13 13A 14 14A 15 15A 16
KODAK
SAFE•TY FILM
8 8A 9 9A 10 10A 11
SAFE•TY FILM
KODAK PLUS X FILM
KODAK 3

「ミルズの学生たちは熱心に聞いてくれたし、率直でつっこんだ質問をしてきた。ジャックも、学生たちに負けず率直で、強気な答えを返していた」

3

大統領候補指名を勝ちとって

1960年1月2日、ジョン・F・ケネディは正式に民主党の大統領候補に名のりを上げた。その時点ですべてが変わった。指名争いのライバルは、アドレイ・スティーヴンソン、リンドン・ジョンソン、ヒューバート・ハンフリー、スチュアート・サイミントンと、経験と名声をもちあわせた面々だ。一方、ケネディは若すぎるし、カトリック色が強すぎるとみられていた。通常、候補者は予備選挙には数回しか出ないが、ジャックは、予備選挙や党員集会にはかならず出て、それで弾みをつけ、ロサンゼルスの民主党全国大会にのりこもうという戦略をとった。予備選挙に勝てば、カトリックは大統領には選ばれないという、有権者の保守的な思いこみも一掃される。そして知名度が高く経験豊富な候補者を破れば、大統領選にも勝つ見込みがあると証明することになる。

ジャックにまず立ちふさがるのは、ミネソタ州選出上院議員のヒューバート・ハンフリーだった。隣接するウィスコンシン州の予備選挙では、ハンフリーの勝利が予想されていた。ボビーはウィスコンシンのハンフリー人気を気にかけ、当初は、ジャックにここは避けたほうがいいと進言した。ウィスコンシンを落とせば出端をくじかれる、とボビーは言った。だがジャックは、ここは打って出るときだと判断した。ジョーもこれを支持し、厳しい戦いになる州を回避すれば、党はジャックを認めてはくれないだろう、と言いきかせた。そしていったん腹をくくると、家族は団結した。

ジャックはウィスコンシンで大勝した。だがこの州にはカトリックが多く、その圧倒的多数がケネディに投票したという事実は、宗教問題に答えが出ていないということでもあった。ジャックはウエストヴァージニア州で再度ハンフリーと戦った。ここはカトリックの有権者が人口の5パーセントに満たない。ハンフリーは主義を曲げたことのないガチガチのリベラル派で、この州では、クー・クラックス・クランやその他過激なグループなど、反カトリックの支持を受けていた。当初、ウエストヴァージニアでの戦況は非常に厳しかった。聴衆は少なく、雰囲気もよくはなかった。だがジャックは1票のために精力的に動いた。炭鉱労働者と会えば、ジャックはいっしょにポーズをとってわたしに撮らせ、ひとりひとりにその写真を送るよう頼んだ。それに、わたしがちゃんと送ったか確認するのも忘れなかった。

ジャッキーは選挙戦の大半が妊娠期間と重なり、活動したのは運動の初期が

p.66：「本日、わたしは合衆国大統領選挙への立候補を表明いたします」。1960年1月2日にジャックが会見を行い、上院幹部会議室は記者や300人ほどの友人、支持者で埋まった。

シカゴ、1960年春

予備選挙が本格的にはじまると、なにもかもがやつぎばやに起こった。写真は、ウィスコンシン州に向かう途中、一時降機したシカゴ空港で緊急会議を開くジャック。

ウィスコンシン州、1960年4月

ウィスコンシンは予備選挙最初の大きなヤマだった。ジャックはミネソタ州選出上院議員ヒューバート・ハンフリーの地盤に近いこの州で対決し、州がもつ31票のうち20.5票を獲得して圧勝した。

「ウィスコンシン州でのスタートはさびしいものだった。握手する相手をさがし、訴えかける相手もいない。ジャックのことを気にとめる人はいなかったし、話を聞いてくれる人は少なく、熱気なんて全然だった」

ウエストヴァージニア州、1960年4月

ウエストヴァージニア州の予備選挙は5月初旬に行われ、その後の成否を左右する戦いになった。カトリックであることは足かせにはならないと、ここで証明する必要があった。争点とされたのは貧困や解雇ではなく、信仰だった。出だしこそぱっとしなかったが、ジャックの聴衆はしだいに盛り上がり、ハンフリーの運動はいきづまった。チャールストンでの写真（右）は、ジャックお気に入りの１枚になった。

ウエストヴァージニア州のカトリックは人口の5パーセントに満たず、ジャックはとにかく機会を見つけては有権者と握手し、信仰は自分への投票のさまたげにはならないと説いてまわった。

次ページ：ウエストヴァージニアでの予備選挙運動終盤には、ジャックの大勝が見えてきた。あまりの圧勝に、ハンフリーは指名争いから脱落した。

「ウエストヴァージニア州では、1票のためにジャックは精力的に動いた。炭鉱労働者と会えば、いっしょにポーズをとってわたしに写真を撮らせ、ひとりひとりにその写真を送るよう頼んだ。それに、わたしがちゃんと送ったか確認するのも忘れなかった」

A TIME FOR GREATNESS
KENNEDY
FOR
PRESIDENT

KENNEDY
PRESIDENT

ネブラスカ州への途上、1960年春

キャロライン号でウエストヴァージニア州を発つジャック。自信とリラックスした雰囲気がうかがえる。

カリフォルニア州、1960年

民主党の伝統的な資金調達パーティーであるジェファーソン＝ジャクソン・デイのディナー・パーティーでは、フランク・シナトラ、シャーリー・マクレーン、ディーン・マーティンがパフォーマンスを提供し、合衆国政界でセレブ文化の重みが増していることを印象づけた。

SUPER HYPAN
ANSCO
SAFETY
SUPER HYPAN

中心だった。とはいえ、ウエストヴァージニア州でのある日の午後の集まりにはジャッキーも同行し、小さな町の上流社会のご婦人方にも気後れすることなく、よく働くと高い評価をもらっていた。ケネディ家はいまや総力をあげて選挙戦に取り組み、あまり組織だってはいないハンフリーの陣営を圧倒した。遊説をとり仕切るボビーは、ジャックの一番身近な、信頼できるアドバイザーだった。スティーヴ・スミスは資金面をまかされ、テディもくわわって西部州を担当した。そしてケネディ家の姉妹たちはいたるところで活動した。ハンフリーは劣勢に立たされていることを感じとり、ある日のテレビ番組でこう話しはじめた。

「ケネディ家のみなさんはいろんなところにいますが、わたしにも家族はいます。ミュリエル、さあここにきてみなさんに顔を見せて。ミュリエル、どこだい」

しばらくして、妻のミュリエルがようやく顔を出した。

「それに息子もいますよ。ボブ、おいで」

ボブがやっと現れると、ハンフリーはたずねた。

「ボブ、選挙運動ではどういう活動を？」

「『ハンフリーを大統領に』のチラシを配ってます」

「それで、反応は？」ヒューバートが聞く。

「だれも欲しがりません」とボブ。

それに、ウエストヴァージニア州での運動中に、ジャックが、思いきってカトリック問題をとりあげたほうが有権者の不安は消えるのではないか、と気づいたのは大きかった。アドバイザーのなかにはこの問題を避けたほうがよいと考える者もいたが、ジャックは正面からぶつかるべきだと思っていた。ケネディ陣営は投票日の２日前に、州で放映されるテレビ番組を買いとり、ジャックが登場して政教分離を信念とすることを語るという策までとった。選挙はケネディの圧勝だった。

一個人としてのハンフリーは好人物だったので、結果が出て指名争いから脱落すると、ボビーはハンフリーを抱いて慰め、あとくされがないようにした。ケネディ人気が一気に高まりそうな気配だった。予備選挙がある州へと飛びまわるたび、ジャックは、ペンシルヴァニア州知事デヴィッド・ローレンスやシカゴ市長デーリーといった、民主党の大物政治家に連絡をとるよう気を配っていた。ジャックはつねに党の全国大会に照準を合わせていて、そこには大物政治家の勢力下にある多数の代議員が集まるからだ。

わたしは週に７日ジャックに同行するようになっていた。はじめのころは、スティーヴ・スミスか、彼が指定する人物にコンタクトシートを送ると、欲しい画像にマークがついて返送されてくるので、それを現像するという手順だった。だがそのやりとりが増えてくると、わたしが選んだものを現像し、ケネディ家の人たちが、そのなかから使いたいものを選ぶようになっていった。そして大会が近づくと、わたしが、その日撮ったものをポータブル暗室で現像して使えそうな写真を選び、50州すべての民主党本部と、100ちかくあるテレビのキー局へと送った。写真は、専属のフォトジャーナリストがいない、地方の小さな新聞社にも提供していた。わたしは、ウィスコンシン州からウエストヴァージニア、カリフォルニア、イリノイへと、党大会めざして展開する選挙戦に同行し、毎晩何百枚もの写真を現像していた。

7月初旬、党大会直前にわたしたちは短い休暇をとった。わたしはハイアニスポートへと飛んで、ジャックと、家族のポートレート用カラー写真を何枚か撮影した。興奮ぎみのジャックは、機嫌はいいが、神経もはりつめているようすだった。それまでのところ予備選挙はうまくいっていたが、まだロサンゼルスでのリンドン・ジョンソンとの対決が残っていた。ある日の撮影中に、わたしはジャックのネクタイが気に入らず、わたしのものと交換した。ジャックはわたしのネクタイをほめ、だいぶ稼いでるようだな、と言った。

「そうだとしても、ケネディの選挙戦で稼いだ金ではありませんよ」とわたしは返した。のちに、その写真が盗用されて、ヨーロッパの雑誌の表紙に使われたことがあった。けれどジャックがわたしのネクタイをしめていたことがさいわいして、わたしは写真の所有権が自分にあることを証明し、支払いを受けることができたのだった。

ハイアニスを発つ前、ジャックはわたしに、党大会に来るつもりはあるかと聞いた。もちろん行きます、とわたしは答えた。

「よかった。むこうではすごい写真を撮ることになるぞ」。ほんとうにそうなるとは、わたしは思ってもいなかった。

ジャックにとっては、前回の1956年の民主党全国大会が、大統領をめざす第1歩となった。ジャックは、アドレイ・スティーヴンソンを大統領候補とする指名推薦演説を行い、副大統領候補の有力な候補者になった。もっともこのときも、候補がカトリックであることは問題視されていた。一部の政治家(ジャックと新しいアシスタントのテッド・ソレンセンも含め)は、カトリックを候補者にたてればスティーヴンソンの追い風になると考えた。だがその他大勢は、カトリック問題はスティーヴンソンの足を引っ張ると判断した。スティーヴンソンと選挙アドバイザーたちは、当初はケネディが副大統領候補でかまわないと思っていたものの、党上層部の一部(その多くは自身がカトリックだった)が難色を示したため、スティーヴンソンは副大統領候補を公開選挙で決めなければならなくなった。3回目の投票で、ジャックを抑えて勝ったのがエステス・キーフォーヴァーだった。ジャックはスティーヴンソンの優柔不断を許しはしなかったが、結局はジャックの幸運のほうがまさっていた。大統領選では、ドワイト・アイゼンハワーとリチャード・ニクソンがスティーヴンソンとキーフォーヴァーに圧勝し、少なくとも、ジャック(とカトリックであること）が敗因にあげられることはなかったのだから。

そしてわたしたちが、ロサンゼルスで開催される1960年の党大会にのりこんだときは、ケネディ陣営の戦略どおりにことが運んでいるように見えた。ジャックはこれまでに出た予備選挙すべてに勝ち、最強の位置にいた。わたしたちは他陣営の大半と同じく、ビルトモア・ホテルに本部をかまえていた。どの候補者にも、歩きまわってチラシやカーステッカーを手渡す、着飾った美女軍団の運動員たちがいる。ケネディ陣営が配っていたのは、PTボート（哨戒魚雷艇）のタイピンだ。そしてホテルには、候補者や選挙運動の責任者、そうでなければ選挙運動に少しでもかかわりのある人物に面会したい人たちがひっきりなしに訪れていた。運動は途切れなく続き、大騒ぎがくり広げられていた。ハイアニスにいたときに、党大会ではぴったり張りついておくようにとジャックから頼まれていたが、それだけでもひと苦労だった。スティーヴ・スミスが気にかけていてくれなければ、ジャックのスイートにも入れないくらいのすごさだ。だが、ジャックはスイートを出るたびに、われさきに近づこうとする人たちに飲みこまれてしまう。まわりの人たちをつきとばしてでも、ジャックといっしょにエレベーターにもぐりこめないと、数時間はジャックをつかまえることができないありさまだった。

代議員のなかには、スティーヴンソンに愛着がある人たちもいた。それでもジャックは、自分には1956年の党大会でスティーヴンソンを大統領候補に推した実績があるので、当のスティーヴンソンが今回は恩に報いてくれて、リベラル派の支持固めにつながるのでは、という期待も抱いていた。スティーヴンソンもあきらめるつもりはなかったが、アピールしようにも、党大会会場でだらだらと選挙運動を続けるのが関の山だった。唯一気がかりな存在が、上院多数党院内総務として権勢を誇るリンドン・ベインズ・ジョンソンだった。

この時期のケネディ陣営は、効率のよい機械ともいえるくらいの組織になっていた。ボビー・ケネディとスティーヴ・スミスにくわえ、上院選を指揮して圧勝の再選に導き、党大会の各代議員の情報をにぎるローレンス・オブライエン、広報担当のピエール・サリンジャー、それにサージェント・シュライヴァー、ケニー・オドネル、テッド・ソレンセンがそれぞれ必要な役割を受けもった。テッド・ケネディは西部各州を担当して大きな働きを見せ、リンドン・ジョンソンをぼうぜんとさせるほど、西部州代議員の支持をとりつけていた。

ケネディ陣営のいるところにはかならずわたしの姿があったので、あるとき、混みあう党大会会場でわたしを見かけたリンドン・ジョンソンが、わざわざ寄ってきて握手を求めた。ジョンソンは、「やあ、お若いの」と言うだけでまた離れていった。わたしがだれだかよく知らなかったようだが、ケネディ陣営にすっかり遅れをとっていることは承知だったので、先のことを考えると、ケネディ一族との手づるはなんであれ逃したくはなかったのだろう。

党大会の会場で、わたしはなんともいえない体験をした。わたしが撮ったジャックの写真が何百枚ものプラカードになって、投票開始とともに、ケネディ支持者たちがそれを熱狂的に揺らすのだ。第１回の投票がはじまると、わたしはラリー・オブライエンといっしょに立ち上っていた。彼は代議員団ごとにジャックの得票数をつかもうとしていた。そして、第１回の投票で、ジャックが過半数を１票上まわる762票を獲得するとはじきだした。ワイオミング州の投票が終わった時点でジャックはトップに立ち、計806票を獲得した。だれもが叫び、喜びの声をあげはじめた。テッド・ケネディは、ワイオミング州の旗をつかんでふりまわしはじめたくらいだ。

副大統領候補の指名はビッグ・サプライズとなり、おかげで、わたしが撮ったふたりの写真も大きな脚光を浴びることになった。最初、ジャックはミズーリ州選出上院議員のスチュアート・サイミントンを指名するつもりだった。たしかに、リンドン・ジョンソンを指名する案には一定の理屈があった。地盤のテキサス州が手に入り、南部でも票がかせげる。しかし、ジャックがジョンソンを指名するとはだれも予想せず、まただれも、史上最強の上院院内総務であるジョンソンが、それを受けるとも思わなかった。

午前８時にビルトモア・ホテルのジャックのスイートに着くと、ジャックはちょうどリンドン・ジョンソンに電話をかけ、会談をもちかけているところだった。副大統領候補指名について、ジョンソンの意向を探るのだ。そのとんでもない日に、わたしは終日、一連の会談のやりとりすべてにつきあった。ジョンソンを猛烈に嫌うボビーが、ジャックのスイートと、２階下のジョンソンのスイートを何度も往復した。わたしは、ボビーとジャックが、ジョンソンを選ぶという決定を下したときもその場にいた。そして、詳細をつめてようやく話がまとまったとき、その部屋にいたのはジョンソンとジャック、それにわたしの３人だけだった。ジョンソンは健康飲料をあおった。そのときボビーが部屋に入ってきて、なにも言わずにつっ立ったまま、不信感もあらわにジョンソンをじっと見た。あとになってはじめてわかることだが、このとき歴史は大きく動き、のちにジョンソンは非常に進歩的な法律を通過させ、それからベトナムで悲劇的、破滅的な戦争を遂行することになる。そしてそれもこれも、暗殺があったからこそだった。

その夜、わたしは当時エスクァイア誌の編集者だったクレイ・フェルカー、ノーマン・メイラー、ルック誌に記事を書いていたピーター・マースと夕食をともにした。わたしが軽い口調で、リンドン・ジョンソンが次期副大統領になると言うと、みんな椅子から転げ落ちそうになり、電話に走った。わたしはその夜ルック誌に記事を売りこんだ。ルック誌は、その部屋にわたしが居合わせて写真を撮ったことを真に受けようとはしなかったが、わたしは数ページもらい、なんとジャック本人が写真にキャプションを書いてくれた。これにはわたしもまいった。

ロサンゼルス、1960年7月

民主党全国大会前日の7月10日、ジャックはロサンゼルスのシュライン・オーディトリアムで開かれた全米有色人種地位向上協会（NAACP）の大会で演説した。この大会は、党の綱領に公民権を明記するよう強く求めるためのものだった。

NAACPの大会では、ジャックの演説はお義理程度にしか聞いてもらえなかった。指名選挙で最強のライバルであるリンドン・ジョンソンも演説の依頼を受けていたが、代理人を出席させるにとどめた。ジョンソンの名が出ると、ブーイングとヤジで大会の進行は数分止まってしまった。喝采を浴びたのはヒューバート・ハンフリーだけだった。

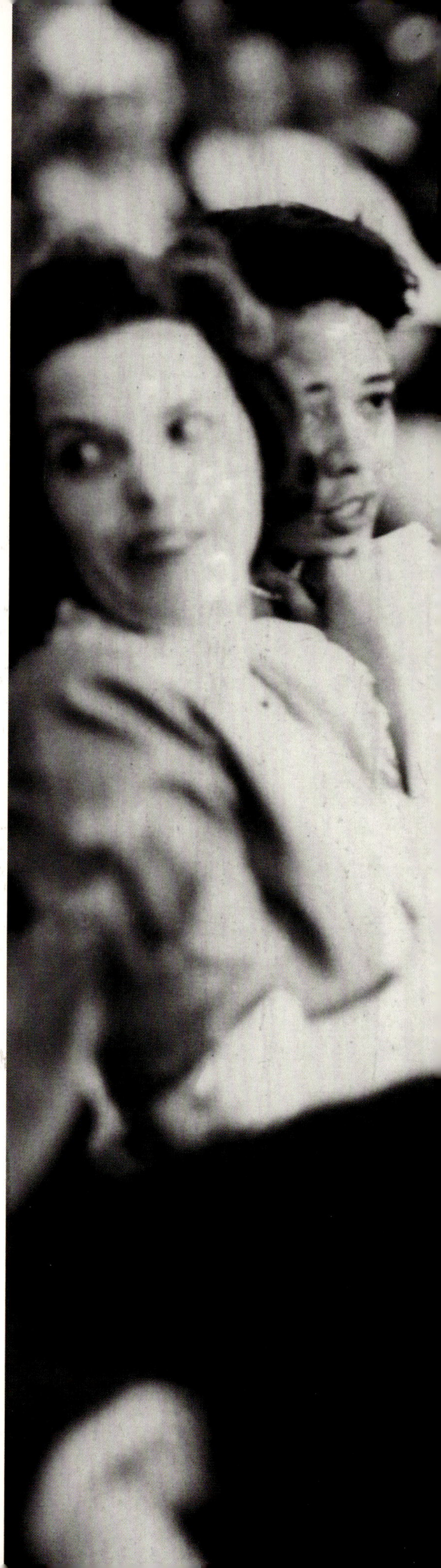

民主党全国大会でのケネディ陣営の司令部は、ロサンゼルス、ビルトモア・ホテルの9333号室におかれた。リンドン・ジョンソンのスイートは２階下の7333号室だ。ジョンソンと副大統領候補指名について交渉するときになると、ボビー、ジャック、ジョンソンは人目を避け、双方の階を結ぶ裏階段を使った。

次ページ：党大会が本格化する前に、支持固めのため、政治家や代議員団との会合が続いた。党大会でロウが一番驚いたのは、代議員の支持がころころ変わることだった。

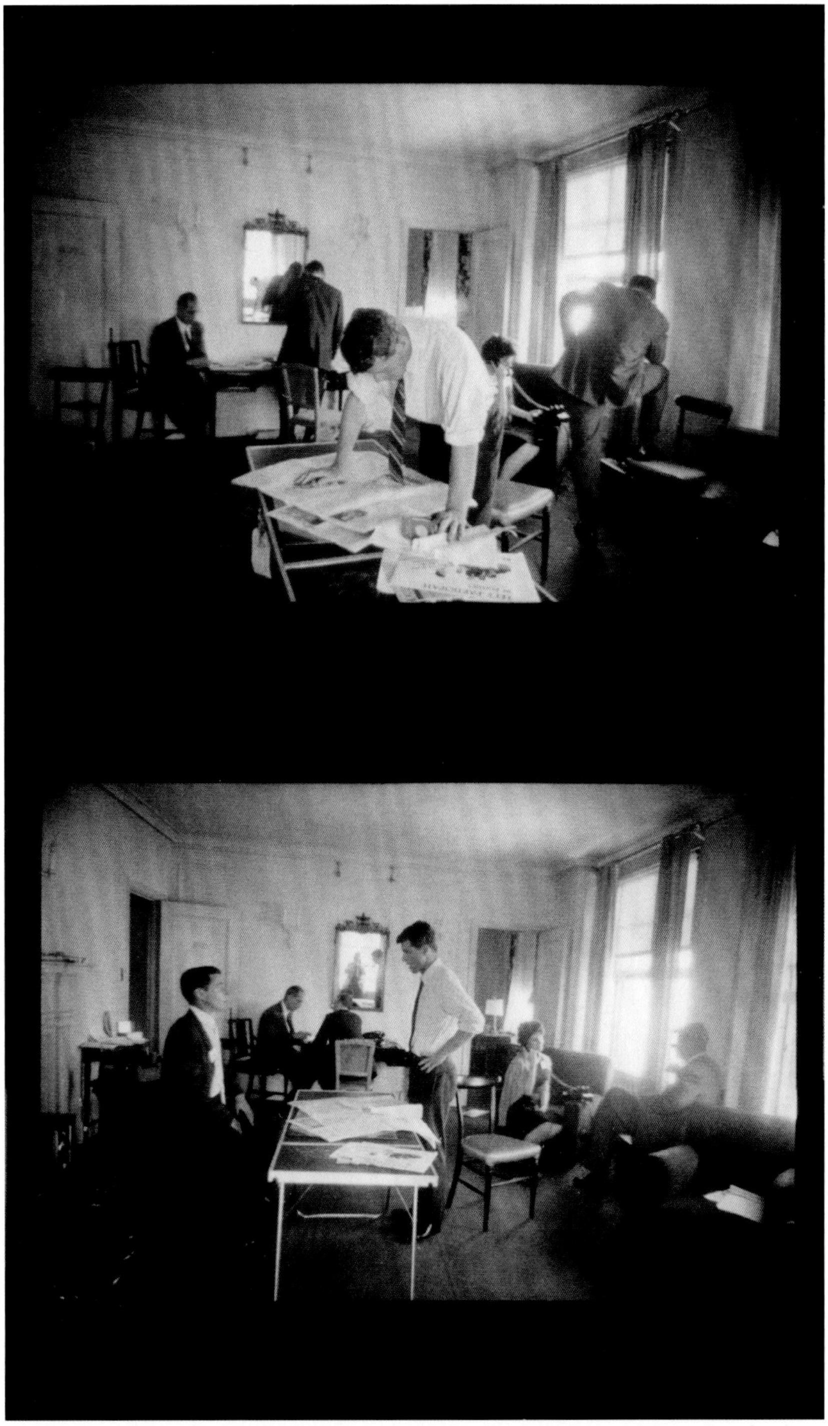

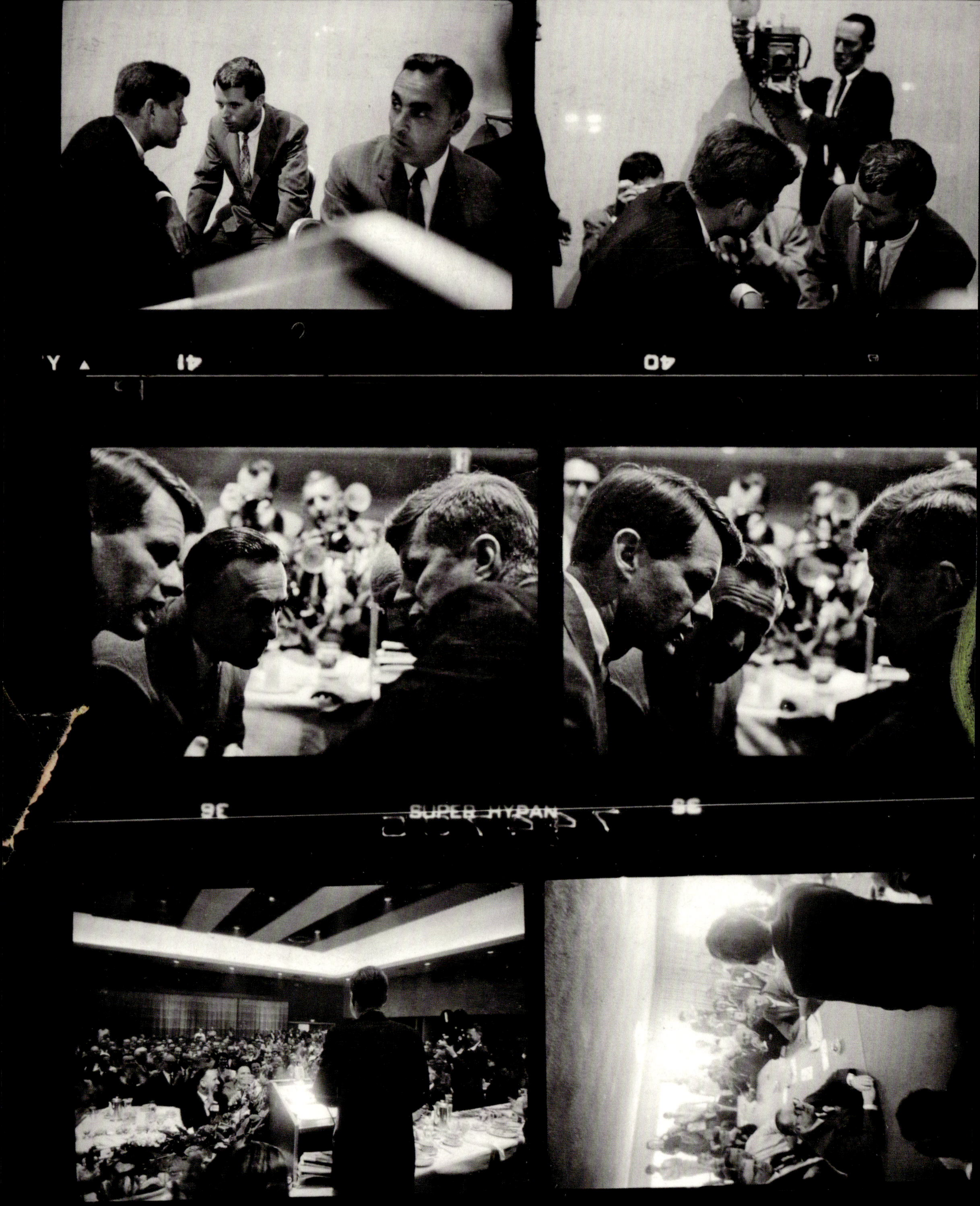
SUPER HYPAN

ANSCO

p.94-95：コネティカット州知事エイブラハム・リビコフは、ジャックをいち早く、熱心に支持したうちのひとりだ。1956年の副大統領候補指名でジャックを推したのがリビコフだった。

7月12日火曜日、上院議員ユージン・マッカーシーがアドレイ・スティーヴンソンを指名候補にあげ、おおがかりで騒々しい運動が展開されたが、スティーヴンソンに有利に働くことはなかった。一方ジャックはリンドン・ジョンソンの申し出を受け、テキサス州代議員団を前にジョンソンとの討論を行った。ジョンソンはライバルを指名争いから脱落させる腹づもりだったが、代議員団の大半は、魅力とユーモアにあふれたケネディが、テキサス州選出の上院議員をあっさり負かしたと受けとめた。

SAFETY
SUPER HYPAN

34
17
33
ANSCO
29
SAFETY
28

KENNEDY
PRESIDEN
KEN

PRESIDENT
CONNECTICUT

KENNE

WISCONSIN

KENNEDY
WANTS
KENNEDY

ジャックが民主党の大統領候補として満場一致で指名されると、代議員団は、手順どおりに休憩をはさみ、ジャックがロサンゼルス・メモリアルスポーツアリーナに登場して謝意を述べるのを待った。木曜の早朝、ジャックが、下に州旗が集まる演壇に上がって短い演説を行うと、だれもが歓喜し、涙をぬぐう人もいた。

PUERTO RICO
DIST OF COLUM
OKLAHOMA
SO. DAKOT
MARYLAND
NO. DAKOT

KENNEDY
PRESIDENT

党大会会場でのケネディ家の女性陣３人。ユーニス・ケネディ・シュライヴァー、ジョーン・ベネット・ケネディ、エセル・ケネディ。その翌日、自分が民主党の大統領候補に指名されたことを報じるトップ記事を見て喜ぶジャック。

KODAK TRI X PAN FILM

KODAK SAFETY FILM
3
4
5
10
14
15

p.106-111：７月14日の日中、緊迫した話し合いがなんどとなくくり返され、ジャック、ボビー、リンドン・ジョンソンは、ジョンソンを副大統領候補にたてるための詳細をつめた。ボビーとジャックがこの問題を話し合うあいだ、同室するのがロウだけということも多かった。ボビーとジョンソンが犬猿の仲であることは有名だった。何年ものち、右の写真が話題にのぼると、ロウは「これはボビーとジャックが、リンドンの件を話し合ってるときのものだよ」と説明した。ジャックは民主党のリベラル派からも、ジョンソンの指名に激しい抵抗を受けた。

「詳細をつめてようやく話がまとまったとき、その場にいたのは、ジョンソンとジャック、それにわたしの３人だけだった。ジョンソンは健康飲料をあおった。そのときボビーが部屋に入ってきて、なにも言わずにつっ立ったまま、不信感もあらわにジョンソンをじっと見た」

7月15日、党大会最終日には、ロサンゼルス・メモリアル・コロシアムに民主党員の大観衆が集まり、お祝いムードのなか、党の結束を示した。すべての指名候補と党の重鎮たちのあいさつが終わり、夕方遅く、10万もの観衆を前にジョン・F・ケネディは指名を受諾し、こう語りかけた。「ニューフロンティアはここにある…あのフロンティアのむこうにあるのは…平和と戦争という未解決の問題、無知と偏見という克服されてはいない領域、貧困と余剰という答えのない問いなのです」

ボストンへの機中、1960年7月

7月17日、ジャックとその家族、側近は、ケネディ家専用機でロサンゼルスを発った。風船がお祝いムードを盛り上げるなか、エセルは静かな場所を見つけて子どもたちに本を読んでやり、ジャックはおいのボビー・ジュニアとおしゃべりしている。

JACK

ボストン、1960年7月

ケネディ一行が党大会からボストンに戻ると、1万5000人もの人々と4つのバンドが空港に集まり、マサチューセッツ州自慢の候補者を出迎えた。この先の大統領選のゆくえを予感させる光景だった。

EADERSHIP FOR THE 60's
the 60's
KENNEDY
KENNEDY

ボストンの空港でわたしたちを出迎えたのは、これまでにない大観衆だった。ジャックがボストン自慢の候補者になったことはまちがいなかった。わたしたちはそろってハイアニスに向かい、3カ月にわたってノンストップで続く選挙戦にそなえ、2週間の短い休暇をとることにした。

休暇中には選挙戦の戦略をあれこれと真剣に話し合うこともあったが、ここを逃せばのんびりできる時間もとれず、ケネディ家伝統の夏の過ごし方ができる最後の機会でもあった。夏は、一家のほとんどが、ハイアニスポートのケネディ・コンパウンドに集まるきまりになっていた。ここには「ビッグ・ハウス」と呼ばれるジョー・ケネディの家があって、ジャックとボビーはそれぞれもう少し小さな家に住んでいた。子どもたちは気ままに3軒の家を出入りした。どれも、マサチューセッツ州海岸部に典型的な白い下見板張りの家で、部屋数は多いがごてごてとした飾りつけはなかった。この裕福な一族は、港に停泊する自家用ヨットに乗りこむこともあった。そこには何隻もの小型ボートがいつでも支度を整えられていて、空港には自家用機も待っていた。ケネディ家の生活はおしゃれというよりも、にぎやかそのものだった。15人の大人と30人の子ども、それにシッターや乗員もくわわり、一家そろってヨットで遠出する。それにはホットドッグ、ハンバーガー、ポテトフライにコークの入ったバスケットをいくつも持参した。ジャッキーは上品な雰囲気をくずさず、フットボールやソフトボールのゲーム、プールに引っぱりこむおふざけなど、かならずくり広げられる遊びにつきあおうとはしなかったが、それでも遠出には同行した。ジャッキーは、シャンパン、フォアグラ、ロシア風卵サラダの入った自分用のバスケットを用意した。ジャックはふだんはどうであれ、このときはジャッキーの食事には手をつけず、ハンバーガーとホットドッグをむしゃむしゃやっていた。

党大会が終わったこの夏、ジャックは元気いっぱいで楽しげだった。人生を終えるまでで一番リラックスできた時期ではなかっただろうか。ジャックとジャッキーはそれぞれの友人たちとのつきあいも楽しんだ。そういえば、ふたりがいっしょにディンギーヨットに乗ろうとしていたことがあった。ディンギーから落ちてばかりのジャックはその埋め合わせに、ジャッキーに手伝ってもらって、小さなバスタブのディンギーに乗りこんでいた。こんなに天真爛漫に楽しめる生活は、その先何カ月も送れなくなるのだ。

4

大統領選挙戦

p.118：大統領選挙戦が、これまでになく大きな興奮と活気に包まれてはじまった。９月に入ってからの４日間で、ジャックはメイン、カリフォルニア、アラスカ、ミシガンの各州に飛んだ。それからの２カ月間、州の催事場、大学、ショッピングセンター、空港、ホテルと、ありとあらゆる場所で演説した。そして選挙戦では恒例の、列車最後尾からの演説も何度も行った。

ハイアニスポート、1960年7月

ケネディー家がハイアニスポートに集まり、熱気に満ちた選挙戦がはじまる前に、つかのまの休息を楽しんだ。

「ヴォーグ誌は、水着とキャップ姿のジャッキーの写真を掲載したいと、何年もくり返し言ってきた。おしゃれでスマートだと思ったからだろうが、わたしは気どりのないところがこの写真の魅力だと思っていたので、絶対渡さなかった」

もちろん楽しむだけでなく、選挙戦に向けた仕事も待っていた。ある朝ジャッキーが朝食に出てきたときには、ハンガリー系、ポーランド系、スロヴァキア系社会のリーダーたちが居間に勢ぞろいしていた。ジャッキーはその騒ぎに少々とまどい気味だったので、わたしは、なにかお手伝いしましょうか、と声をかけた。「だいじょうぶよ。ポーチでいただくわ」とジャッキーは答えたものの、ポーチにはタバコの煙がたちこめ、ボストンの政治家とその妻たちの一団が、うれしそうにジャッキーにあいさつをよこした。つぎにダイニング・ルームをのぞくと、ジャックが身内で会議を開いている。キッチンに行ってみると、そこではピエール・サリンジャーが記者会見をしていた。

ハイアニスポートにいると、あらためて、自分が恵まれた立場にあることを実感した。ケネディ家周辺にはカメラマンがうようよとうろつきまわっていたのに、家のなかまで入れるカメラマンはわたしのほかにはいなかった。どの雑誌も、この裕福で洗練された夫妻の写真が欲しくて大騒ぎだった。ヴォーグ誌は、水着とキャップ姿のジャッキーの写真を掲載したいと、何年もくり返し言ってきた。おしゃれでスマートだと思ったからだろうが、わたしは気どりのないところがこの写真の魅力だと思っていたので、絶対渡さなかった。ハイアニスでは、選挙運動でとても大きな働きをすることになる、手ごわい女性陣にもカメラを向けることができた。ジョーン・ケネディ、ジーン・ケネディ・スミス、ユーニス・ケネデイ・シュライヴァー、エセル・ケネディ、パトリシア・ケネディ・ローフォード、ローズ・ケネディ、そしてもちろんジャッキーの7人だ。ジャッキーが妊娠していたため、ほかの女性陣がジャッキーの代わりに遊説に同行することも多かった。ジャックの妹のパトリシア・ケネディ・ローフォードが出ていく機会はとくに多く、腕の立つ助っ人だった。

まもなくわたしたちは選挙戦に突入した。ジャックは疲れ知らずで、1日に20時間動きまわっても音を上げなかった。スケジュールは朝6時から夜10時までびっしりと埋まっていた。問題は、夜10時になるころには、スケジュールに5時間の遅れが出ている点だった。そうすると、わたしたちは午前3時以降に次の目的地に到着することになる。朝7時にベッドからはい出たわたしはへとへとで、カメラもかまえられそうにないくらいだった。だが外に出ると、ジャックがモーテルの部屋の前にいる。服装をととのえてひげもそり、落ち着いたようすで4、5人の記者にインタビューを受けているのだ。それからジャックは朝食をとりながら、その日一番の演説を考える。朝食後は車を連ねて空港がある方向をめざし、いくつかショッピングセンターに立ち寄る。集まる聴衆の数はほんとうにすごかった。立ち寄るたびにジャックは演説をする。空港に着くと、そこにもさらに人が集まって出迎え、ジャックはまた演説をする。そのころには午前10時半になっていて、そこでアイオワ州のデモインにはさようなら。つぎにはイリノイ州ピーキン。そこの空港で演説を終えたら、町に入るまでにさらに3つのショッピングセンターに寄ってしゃべり、ジャックは昼食会に登場する。そこには、ジャックとコールド・チキンを食べ、握手するために高い金を払った民主党員が数百人も集まっている。それからさらにいくつかショッピングセンターに寄ってから空港に戻る。こんなぐあいだった。

ある朝わたしは寝過ごしてしまい、起きるとみんな出発したあとだった。おいていかれたことに気づいたわたしは、急いで服をひっかけタクシーを呼んだ。空港に着くと、もう専用機が滑走路を走り出そうとしている。わたしは管制塔の階段をかけ上り、戻ってわたしをひろうよう無線連絡して欲しいと泣きついた。エプロンにかけ戻って専用機が戻るのを待っていると、ラウドスピーカーからジャックの声が空港中に響き渡った。「ロウのやつ、くたばっちまえ！」

選挙戦が進むにつれジャックを追う報道陣は増え、最初のころの2倍近くの600人にもふくらんだ。そしてシカゴのような大都市に入ると、その都市や周辺地方の記者もおしよせ、さらに100人くらい増える。シカゴでは、ジャックはデーリー市長と面会する時間をとるのにくわえ、ジャック人気にあやかろうとする地元政治家ともとりこぼしなく連絡をとった。みんなが握手して、いっしょに写真に写りたがる。それが自分の選挙運動にも有利に働くからで、ジャックに投票するのもそれが目的だった。なにもかもが狂乱状態にあった。

ジャックは寄付してくれそうな富裕層とも会う必要があった。当時は候補者への寄付に制限がなく、共和党の候補者は、経済界中心に大口の寄付を多数確保していた。一方で民主党の候補者は、おもに労組からの資金援助に頼っていた。もちろん、選挙戦にはケネディ家の財産も使われた。だが底なしというわけにはいかない。ジョー・ケネディが、カリフォルニア州の運動員をどなりつけた話は有名だ。「勝てばいいんだ。大勝するために金を渡してるんじゃないんだぞ！」

選挙運動中は、凍りつくような寒さのなかでもジャックがコートをはおることはめったになく、帽子はまったくかぶらなかった。これには合衆国の帽子製造業者が頭を抱えた。みんながジャックのまねをすれば、仕事はなくなってしまう。ジャックが立ち寄るところにはすべて、帽子業界の代表が帽子をもって現れ、ジャックに手渡そうとした。ホンブルグ帽にフェドーラ帽と種類をそろえ、3つも届けられたこともあった。帽子業界の人たちは必死にアピールしたものの、ジャックは帽子を嫌った。周囲はこの「帽子論争」を選挙戦の気晴らしにして笑ったが、カメラマンのわたしにはわかっていた。ジャックは、若々しく活動的なイメージをうえつけることが大事だと、本能的に理解していたのだ。そうすることで、違いは際立つ。アイゼンハワーはグランパタイプ、ニクソンもまた、帽子をかぶる旧世代のイメージだったからだ。

むずかしい問いかけから逃げなかったのはもちろん、ジャックは飛ぶことも怖がらなかった。予定は決まっているのにパイロットが「悪天候のため飛べません」と言えば、ジャックは「君が飛ぶか、別のパイロットをさがすかだ」と返した。そしてわたしたちは出発するのだが、当然雷や稲妻が待ち受け、午後

ジャッキーは、「キャロラインは絵具を混ぜるのが好きなの。ぐちゃぐちゃにしてしまうのよ」と言っていた。ジャッキーはアーリーアメリカン・スタイルの絵を描くのが好きで、ジャックが党大会から戻ると、記念に絵をプレゼントした。昔の船長の格好をしたジャックがヴィクトリア号の船首に立ち、「おかりえなさい、ミスター・ジャック」と書かれた旗とバンドを従え、ジャッキーとキャロラインが桟橋で出迎える絵だ。

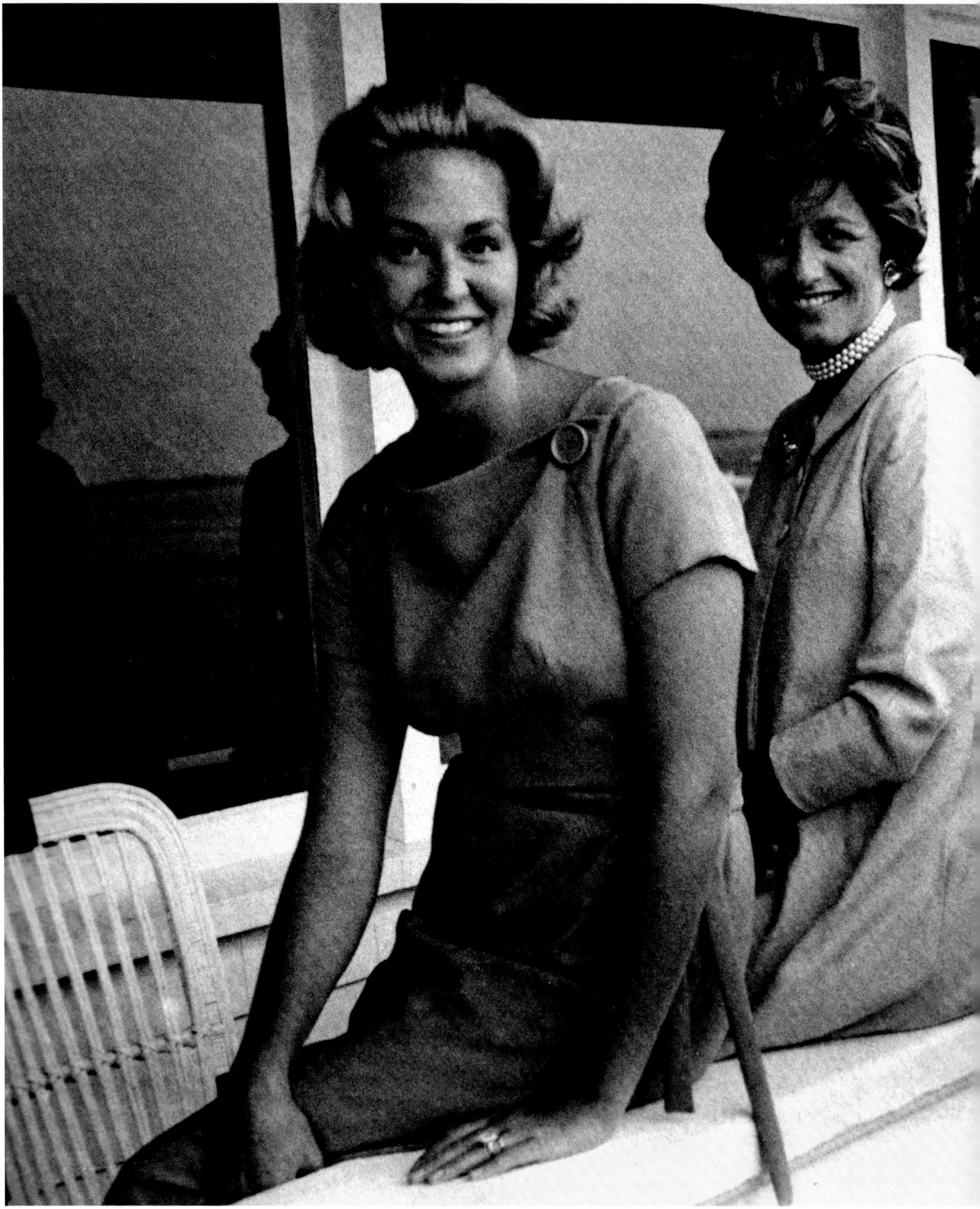

ケネディ家の女性たちは、選挙戦で大きな働きを見せることになる。ハイアニスポートに勢ぞろいした圧倒されるような写真。左から、ジョーン・ケネディ、ジーン・ケネディ・スミス、ユーニス・ケネディ・シュライヴァー、ジャッキー・ケネディ、エセル・ケネディ。

「クリスマスカード用の家族写真を撮り終え、ジャックはゴルフ・ウェアに着替えに2階に上がった。そのあとで、ジャックがキャロラインに行ってきますを言っているところだ」。キャロラインがもつ『わたしはとべる』は昔からある子ども向けの詩の絵本で、現在も刊行されている。読書好きのジャッキーは、子どもたちにもよく本を読んであげた。キャロラインが3歳のころ、ジャッキーはエドナ・セント・ヴィンセント・ミレーの短い詩をふたつキャロラインに暗唱させ、ジャックを驚かせたこともある。

３時なのにあたりは真っ暗になる。飛行機が揺れるたびに、わたしは必死で無事を祈るのに、ジャックは平然として座り、本を読んだり、演説の練習をしたりしていた。演説の原稿作成には、ジャック自身もいつも熱心に参加していた。テッド・ソレンセンやリチャード・グッドウィンが書いた原稿をただ読み上げるのではなく、空いた時間があれば、ジャックは書いては手直しすることをくり返した。

ジャックが国民に愛されたのは、ユーモアと軽妙さをもちあわせていたからでもあった。ナイアガラ空港に着いたときには、「ただいまハネムーンから戻りました」［ナイアガラは別名「ハネムーン・シティ」］と人々に語りかけた。ジャックは、相手に合わせて、その心に響く言葉を使いわけるセンスに恵まれていた。愛国心に燃え、ロシア製品をボイコットしようとする鉄鋼労働者から、穀類を売るためにロシアとうまくやっていこうとするアイオワ州の農民にいたるまで、ジャックはだれに何を話せばいいのかちゃんと心得ていた。

ジャックの若々しいイメージと個人的な魅力には、あらゆる世代の女性が反応した。選挙運動中には、立ち寄る場所によっては、少し怖いくらいのヒステリックな歓声を浴びた。アップステート・ニューヨークでは、３歳の子をもつ金髪の母親が警察の警護をくぐり抜け、ジャックの頬にキスした。オハイオ州知事マイク・ディサールは、ジャックをファンから守ろうとしてコートを引き裂かれ、ある運動員はズボンを引きずりおろされそうになった。ジャックは聴衆のなかに入っていくのが好きだったため、よく上着のボタンをちぎられていた。ファンの長い爪でひっかかれ、ジャックの手から血が流れることもあった。それから、ジャックが近づいただけで泣き出す若い女性もいた。

選挙運動のばか騒ぎのなかでは、思いがけない厄介ごとにもみまわれた。ある日ピオリアで、地元のカメラマンがわたしたちの車の前にむりやり割りこもうとした。もともと入りこむ余裕はなかったのに、コケにされたと思ったカメラマンは、こちらを見てわたしがいることに腹を立て、「覚えてろよ、あとで思い知らせてやる」と捨て台詞をはいた。かなり体格のよい男だったが、わたしはたいして気にしてはいなかった。ところが30分後、市庁舎前の大観衆の真っただなかで、そいつは背後からわたしの背中を思いきり殴りつけた。わたしは、レンズでそいつを打ち払ってどうにか身を守った。周囲には、そんなことに気をとめる人などだれもいない。みんな、頭のなかはケネディを見ることでいっぱいだった。

もちろんわたしは、襲われていたばかりではない。何百枚も、写真を撮りまくっていた。それも、ケネディ支持層の心をとらえるものでなければならない。それから選挙のチラシ用写真と、民主党の大量のパンフレットにのせる、経済や労働、マイノリティ問題といった特定のテーマに沿った写真も用意しなければならなかった。

ジャックの身近にいてひとつ困ったのは、ジャックが金をもち歩かないこと

ミシガン州マウントクレメンズ、1960年10月

当時の副大統領で共和党大統領候補となったリチャード・ニクソンとのテレビ討論は、４回行われた。第１回討論でのテレビ映りがよかったため、ジャックの聴衆は増加した。

KENNEDY
&
APLEY
REAL ESTATE
PALM CAFE
LIQUORS
KODAK

「ジャックがしゃべっているあいだ、聴衆がうんともすんとも言わないこともあった。嫌っているからではなくて、敬意にちかいものがあったからだ。マイノリティや移民が多い地域では、こういうことがよくあった。彼らは、すばらしいアメリカ人に出会ったんだ。この人なら、自分たちと、自分たちが抱える問題に目を向けてくれると思えたんだよ」

アイオワ州デモイン、1960年8月

ジョンソンを副大統領候補に指名したため、民主党内のリベラル派にはケネディに対する懸念が残った。だが選挙戦がはじまってすぐの農業会議には、筋金入りのリベラル派、ヒューバート・ハンフリー上院議員とジャックがいっしょに登場し、ジャックが党をまとめたことをアピールした。上院での当選をめざすアイオワ州知事ハーシェル・ラブレスは、人気にあやかろうとふたりの車に同乗した（結果は落選）。

「ジャッキーは、ニューヨークのABCテレビのスタジオでやるテレビ討論を見にやってきた。妊娠中のジャッキーは、選挙戦ではあまり人前には出なかった。政治家の奥さんは、たいていは座ってにこにこしてさえいればよかったが、ジャッキーはとにかくそんな役で満足するつもりはなかったよ」

ニューヨーク、1960年10月

大統領候補による第４回テレビ討論に見入るリー・ラジヴィル、ジャッキー、ボビーと、選挙運動の責任者ケネス・オドネル。こうした討論が行われたのはこの選挙戦がはじめてだ。テレビは、ジャックを見ばえのする大統領候補として国民に売りこむのに欠かせない媒体だった。テレビが視覚に訴える力は甚大で、第１回の討論をラジオで聴いた人たちは引き分けだと思ったが、テレビで見た人たちの大半が、ジャックが勝ったと確信した。

「運転手役はボランティアの仕事だった。ケネディを乗せることは大きな名誉だと思われていた。だいたいは、骨身を惜しまず働くか、貢献度の高いスタッフにまわってきたんだ」

ウィコンシン州マディソン、1960年10月

ジャックはウィスコンシン大学で、「不平等があるとしたら、肌の色ではなく、能力と熱意にもとづくものであるべきです」と語りかけ、学生たちに、黒人の両親をもつ子どもは「白人の子どもにくらべ、高校を卒業できるのは半分、カレッジは３分の１、専門職につけるのは４分の１でしかありません」と説いた。ロウは、すぐれた演説を聞いた人々が、演者に政治家としての資質を認めるのをまのあたりにした。

イリノイ大学アーバナ・シャンペーン校、1960年10月

選挙の2週間前、ジャックはこの大観衆に、「ビスマルク侯はかつて、ドイツの大学生の3分の1が勉学のしすぎで倒れ、3分の1は放蕩で身をほろぼし、残る3分の1がドイツを治める、と述べました。今目の前にいるのがどの3分の1かは知らない。だが、わたしはアメリカを治める人々に語りかけていると確信しています。教育を受けた男女はみな、克己心をそなえる努力をするはずだからです」と語った。

「どうにも逃れようがないときもありはしたが…ジャックはご機嫌とりもしなければ、テンガロンハットやインディアンの羽根飾りをかぶってポーズをとろうともしなかった。ジャックの選挙運動のスタイルは、とても洗練されていて、凛としていた」

次ページ：選挙戦終盤のイリノイ州ピーキンは、まるでジャック争奪戦だった。観衆は車の上に身を投げ出し、ジャックのコートからボタンをひきちぎった。時間も天気も関係ない。人々はジャックの車を何時間も待った。選挙戦に勢いがつき、大勝にもちこめるかもしれないという期待感が生まれていた。

TAZEWELL COUNTY FOR KENNEDY
KENNEDY
KERNER GOVERNOR
KENNEDY FOR PRESIDENT

SPECIAL
KENNEDY
TAZEWELL COUNTY
TAZEWELL COUNTY FOR KENNEDY
TAZEWELL COUNTY FOR KENNEDY
TAZEWELL COUNTY FOR

SANTA MONICA
MARTIN MOTORS

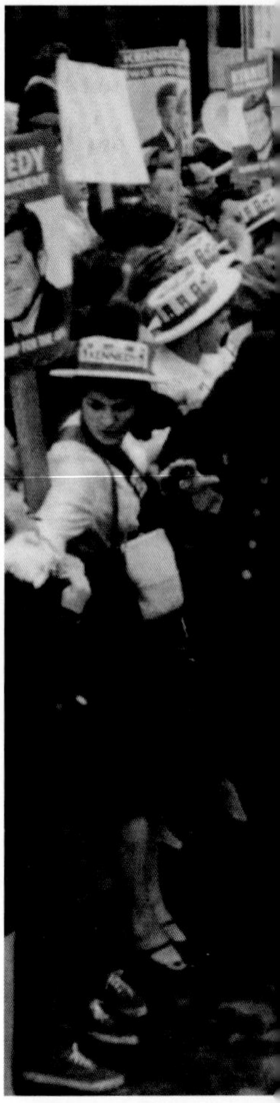
KENNEDY

S.S. KRESGE CO.
CHARTER
KENNEDY
4
PREZIDUNT

選挙戦が進むにつれ、観衆はどんどん増え、熱狂的になっていった。フィラデルフィアでは、「PT236」と書かれたボードを見つけたジャックが、「あれはだれだ。車を止めてくれ！」と声を上げた。ボードを手にしていたチャールズ・ライドウッドは、第二次世界大戦中、太平洋でジャックとPTボートに乗った戦友だった。つかのま、旧交を温め、車列は動き出した。

「天気が悪いときも、ジャックはオープンカーの屋根をおろしたままにした。わたしたちは1台前の車に乗り、前からジャックを撮った」

ロサンゼルス、1960年11月

選挙戦終盤はアメリカ教育週間と重なった。南カリフォルニア大学での、はじめて投票にのぞむ学生に向けた演説と、翌日のビヴァリー・ヒルトン・ホテルの集会で行った演説では、ジャックは教育をテーマにとりあげた。「今日、自由のための戦いの前線は塹壕にはありません。ミサイル発射台にもない。それはわれわれの教室や大学にあります。アフリカのジャングルのなかの学校や、ブラジル北東部の小さな分校もそれは同じです。自由であり、若者の教育に取り組む社会であれば、どこにでも、それはあるのです」

次ページ：1950年には合衆国のおよそ530万世帯がテレビを所有し、1959年にその数は4200万まで増加していた。ケネディ陣営の選挙戦はメディアを効果的に使い、それが決定的な役割を果たすことになる。選挙前週にはCBSで、ロサンゼルスのジャックとワシントンのジャッキーに行うインタビューが放映され、本来スティーヴンソン支持だったヘンリー・フォンダがインタビュアーをつとめた。この放送ではケネディ家の映像も流れ、キャロラインが従兄のスティーヴン・スミス・ジュニアといっしょにいる写真や、ジャッキーが定期的に訪問していたワシントンの孤児養育院で撮影された写真も披露された。

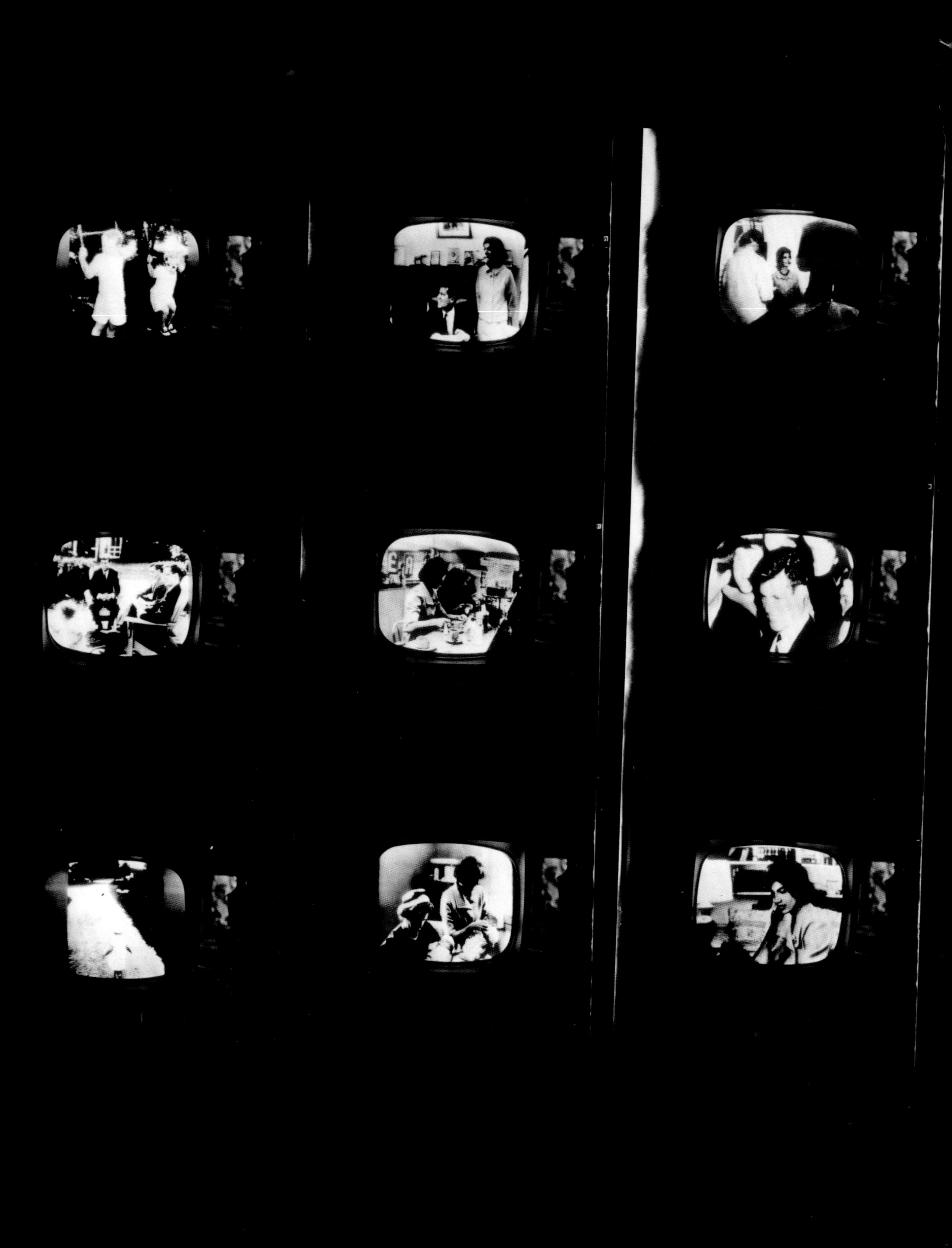

イリノイ州ウィルメット、1960年11月

選挙戦の最終週だけで、ジャックは15州をまわった。1959年の初遊説以来、ジャックは65万キロちかく移動したことになる。

「ジャックが原稿どおりにしゃべるのは、3分がせいぜいだった。演説は即興にかわって、丸めた原稿をばんばんたたきつけて力説するんだ」

コネティカット州ハートフォード、1960年11月

選挙戦終盤の遊説。選挙前日、ハートフォード・タイムズ紙の社屋階段で。選挙戦が終わりに近づくのに合わせ、ケネディ陣営の一行はニューイングランドをぬけて、選挙前夜の、ボストンでの最後の集会をめざした。

JFK

だった。しょっちゅう、わたしやすぐそばにいる相手を振り返っては、50セントや1ドル貸してくれと言うのだ。ある日、大きなホテルにチェックインするとき、ジャックはわたしのほうに身をのり出してささやいた。「ベルボーイにあげるから1ドル貸してくれないか」。わたしは5ドル紙幣1枚しかもちあわせていなかったので、ベルボーイは過分なチップをもらい、わたしは5ドルも立て替えるはめになった。

ジャックの聴衆が、いつも狂乱状態だったわけではない。マイノリティや移民が中心の場合には、声もなく聞き入っていることが多かった。この立派なアメリカ人なら自分たちの問題をわかってくれそうだと感じ、彼らはジャックと理解しあおうとしていたのだ。

転機はニクソンとの討論だった。格好よく冷静なケネディと、汗臭くてやつれたニクソンとの見た目の差は、ケネディ陣営のシナリオどおり、若くてスマートな民主党対、疲弊し古臭い共和党というイメージを演出した。わたしは車でボストンのケネディ財団の撮影に向かっているところだったので、第1回討論はラジオで聞いた。だからふたりの外見の違いは目にしていないが、わたしははっきり、ジャックが勝ったと思った。新聞は「引き分け」としたところが多かったが、少なくとも、それでジャックの顔を全米に知ってもらうことになり、知名度はニクソンと同レベルにアップした。ジャックの知性と見聞の広さを知ってもらえば、ニクソンの8年間の実績もたいしたポイントにはならないように思えた。ふたりは中台間で論争中の金門と馬祖について議論していた。視聴者がその問題にいくらかでも関心があったかというと疑問だが、しかしジャックが、その問題を少なくともニクソンと対等に議論でき、この政治のカリスマにひけをとらない頭脳をもっているとわかってもらうことはできたはずだ。

ジャックといえば軽妙な受け答えが有名だが、これは討論でも発揮された。トルーマン大統領の歯に衣着せぬ辛辣なもの言いについて聞かれると、ジャックは、76歳の元大統領にしゃべり方を変えさせるようなことは言えません、と答えるにとどめ、「トルーマン夫人にはできるでしょうが、わたしには無理でしょう」と述べた。これに対しニクソンは、執務室の威厳を保つことについて、だらだらと退屈な話をはじめた。

ジャッキーは、ニューヨークのABCテレビのスタジオで行われる、4回目にして最後の討論を見にやってきた。妊娠中のジャッキーは、選挙運動中はあまり人前には出なかった。政治家の妻は、たいていは座ってほほえんでさえいればよかったが、ジャッキーはとにかくそんな役で満足するつもりはなかった。ジャッキーはフランス語とスペイン語を話せたため、フランス系やスペイン系の有権者に向けた演説の下書きをまかされることもあった。そうしたときには、ほほえんで座っているのはジャックの方だった。「ボストン語」しか話せなかったからだ。

テレビ討論が終わるとケネディ陣営の聴衆はますます増え、選挙運動は異様なまでに盛り上がり、熱狂ぶりも激しくなった。ジャックの、大観衆を盛り上げるテクニックも板についてきた。ジャックが人差し指をつきだすしぐさは有名になり、このけんか腰ともとれるスタイルが聴衆に火をつけた。選挙の２日前、コネティカット州ウォーターベリーでは、11月の冷たい雨が降る日の夜に、ジャック見たさに３万人が集まった。わたしたちは午前３時にようやく到着したのに、まだ人は散っていなかった。そしてボストン・ガーデンの集会が大盛り上がりのなか、選挙運動は終わった。歓声が大きすぎてジャックは立って手を振ることしかできず、結局演説はできずじまいだった。どう見てもジャックは圧倒的人気を得ていて、ケネディ圧勝を予想する世論調査さえあった。

夜が明けると投票日だ。ジャックとジャッキーがボストンで投票すませると、わたしたちはハイアニスポートに飛んで結果を待った。このときも、わたしは自分の立場に信じられない思いだった。2000人もの記者団の大半がハイアニス・アーモリー周辺までしか近寄れなかったのに、わたしはなんの制約も受けず、ケネディ家のコンパウンドにいたのだから。めまぐるしかった選挙戦のあとに迎えた投票日は、不気味なほど穏やかだった。わたしはボビーとエセルとつれだって地元の投票所へ行き、そのあと、ジャックとジャッキーに、キャロラインといっしょにポーズをとってもらった。

動きが出てきたのは午後６時をすぎてからだった。ボビーの家が司令センターになっていて、わたしたちが開票結果を待つのはここだった。１階には通信社のティッカー・マシンがもちこまれ、全国の主要選挙区とここをつなぐ、14台の電話がおかれていた。情報はすべてここから２、３階にまわされ、そこではケネディ家と世論調査員、それに分析担当者が、子ども部屋を仕事場にして陣取っていた。兄弟、姉妹、夫、妻。ケネディ一族の全員が司令センターに顔をそろえていた。そしてもちろん、家長のジョー・ケネディもそこにいた。

真夜中になるころには家中に高揚感が満ちていた。ジャックが200万票リードし、選挙運動を支えてきた人たちの顔には党員としての誇りがあふれていた。開票当初の速報が届くころにはジャックはまだ自宅にいて、ようすを見に、ときおり芝生を歩いて司令センターまでやってきた。だがその後は、速報が出るたびに、よくない知らせが届くようになった。日付がかわると、リードは徐々にだが確実に小さくなった。ある時点でジャックのリードは100万票まで減り、NBCのコンピュータがニクソンに当確を出した。だがその少しあとには、取り消された。ジャックはリードを保ってはいたものの、それは減り続け、ボビーの家につめているみんなの表情ははりつめ、げっそりとしてきた。

午前３時、ニクソンが敗北を認めるとの情報が入り、家中が安堵に包まれた。それからそれがまちがいであることがわかると、はりつめた雰囲気が戻り、速報が出るのをじっとみつめ、待った。午前３時30分、ニクソンはロサンゼルスのホテルの自室から出てきた。わたしたちはみなテレビの前に集まって、彼が話し出すのをみつめた。ニクソンが、支持者と、かたわらに立って泣く妻の

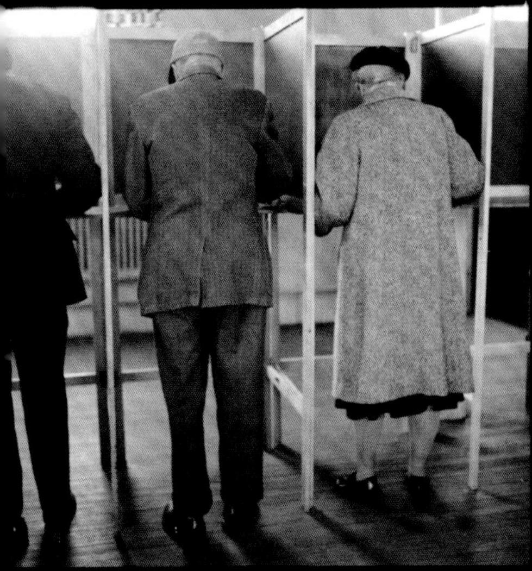

ハイアニスポート、
1960年11月

11月8日、大統領選挙当日。投票用紙に記入し、投票箱に入れるボビーとエセル。ハイアニスポートがあるバーンスタブルは、それまで長年そうだったように、共和党有利だった。

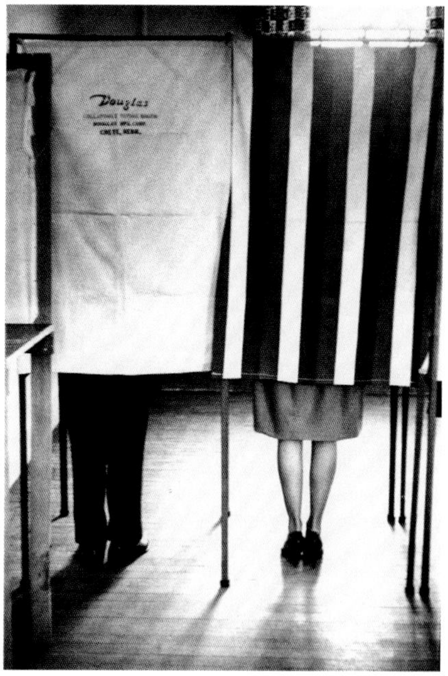

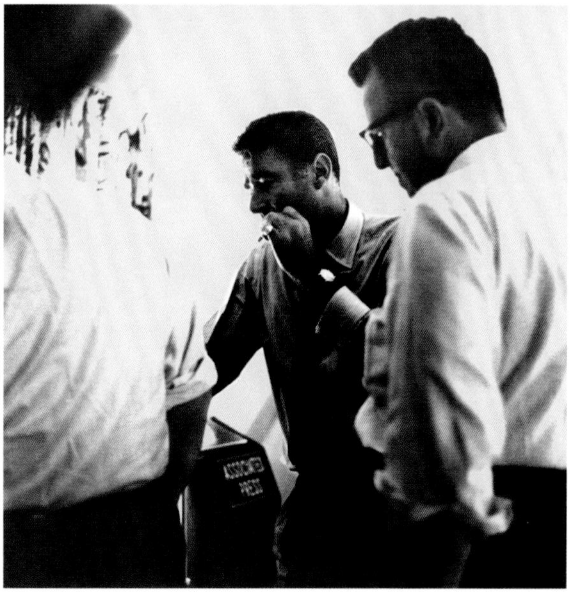

投票日の夕方以降、ジャックはほとんど、テレビ局のライトが照らす自宅で過ごした。ときおり、司令センターがあり一家が開票速報を待つボビーの家にふらりと現れた。真夜中にまた戻ってきたジャックは、明け方ちかくまでボビーの家にいた。1階には通信社のティッカー・マシンがもちこまれ、全国の主要選挙区とここことをつなぐ、14台の電話がおかれていた。情報はすべてここから2、3階にまわされ、そこではケネディ家と世論調査員、それに分析担当者が、子ども部屋を仕事場にして陣取っていた。兄弟、姉妹、夫、妻。ケネディ一族の全員が司令センターに顔をそろえていた。

開票当初の速報はジャック有利だったが、夜がふけるにつれリードは小さくなった。朝にはリードが10万票まで減った。11月の冷たい朝、一家のほとんどは気晴らしの散歩に出かけた。散歩を終えると、まずジョーの家へ行き、それからボビーの家に戻った。みんなでテレビの前に1時間ちかく座り、大量票をもつ州の結果が出て、ジャックの当選が決まるのを待った。

「朝の7時30分すぎに起きたんだが、そのときにはシークレット・サービスが到着していた。これはいい前兆だぞ、と思ったよ」

KENNEDY
STAFF

「ボビーの家のポーチでみんなが得票数に目を通しているとき、ニュースが入った。ミネソタとイリノイの両方をおさえて、ジャックが大統領になったんだ」

パットに感謝の言葉を述べるうちは、敗北宣言のように聞こえた。しかし結局、このままのすう勢ならば、ケネディが次期大統領になるだろうと述べるにとどまった。ジャックにとっては残念ながら、そのままでは終わらなかった。

その夜、家族のなかで眠れたのはジャックだけだったと思う。ジャックは、ニクソンがもう一度話すまでは声明を出すつもりはないと言ったあと、家に戻り、わたしには、午前４時にジャックの部屋の明かりが消えるのが見えた。わたしはメイド・ルームの折りたたみベッドにもぐりこんだものの、ニクソンが敗北宣言したというデマに２度起こされた。

午前７時30分にわたしが起きるころには、ジャックのリードはちょうど10万票まで減っていた。ボビーの家に行くと、エセルだけが１階にいて、ほかはみんな散歩に出かけていた。メイドたちもみな出はらっていたので、わたしとエセルは、疲れ果てて家のまわりをぶらついている12人の口に入れるため、コーヒーを淹れてベーコン・エッグを作った。そのあとわたしも家族の散歩に

ジャッキーはレインコートをはおって、ひとりで散歩に出かけた。ジャックがさがしに出て、それからようやく、勝利が決まった記念の日に、ケネディ家全員がそろう写真を撮ることができた。

つきあった。ボビーはフットボールをもっていってテッドと投げ合い、緊張をほぐしていた。

散歩を終えると、ジョーの「ビッグ・ハウス」にいったん集まってから、ボビーの家へとぶらぶら戻った。だれもじっと座っていることができなかった。ジャックのリードは10万票で下げ止まっていたが、選挙に勝つには、選挙人団の票があと11とれればよかった。大量票をもつイリノイとミネソタのふたつの州の開票がまだだった。緊張が極限に達したところで、午後0時30分にミネソタ州が、そしてそのあとすぐにイリノイ州もケネディに決まった。ニクソンは敗北宣言し、すべてが終わった。

その少しあとにわたしがジョーの家の窓辺に立っていると、小雨のなか、ジャッキーがレインコートをはおりながら家から走り出てくるのが見えた。ひとりで海岸に出たジャッキーは、見るからに動転していた。ジャッキーがファーストレディになりたがっていたのは本心からだが、そうなれば、自分の生活が一変してしまうことに思いがいったのだろう。ところで、わたしには大きな仕事が残っていた。一家そろった写真を撮るようこれまでにもなんども頼まれていたが、撮ろうとすると、いつもだれかが欠けていた。やっと全員がそろっているし、大きな記念の日でもある。これを逃したらもうチャンスはないことはわかっていたのに、全員を集めようとしても、みんな歩きまわって集まってくれない。ようやく、わたしはどうすればいいか気づいた。ジョー・ケネディに仕切りをまかせ、全員図書室に集合するよう号令をかけてもらったのだ。やっとみんなが集まってくると、ジャックが聞いた。「ジャッキーはどこだ」

「海のほうへ行きましたよ」わたしが答えた。

「僕がつかまえてこよう」。そう言ったジャックがつれて戻ると、ジャッキーは2階に上がって着替え、わたしたちはそれを待った。そしてジャッキーが部屋に戻ってきたとき、ケネディ家全員が立ち上がり、次期ファーストレディを拍手で迎えた。感動的な光景だった。

わたしが「次期大統領ジョン・F・ケネディ」ときちんとしたかたちで会ったと言えるのは、このもう少しあと、彼の父親の家でのことだ。ジャックは隣の部屋からわたしを見つけ、飛び上がるようにしてそばにやって来た。

「いいのが撮れてるかい？」

わたしはふいに言葉につまった。ジャックのことをなんと呼べばいいんだろう。そして、「おめでとうございます。大統領閣下」という言葉が口をついて出た。

すると、ジャックはとまどい気味にわたしをみつめてからこう言った。「ほんとうにありがとう、ロウ」

ジャックをはじめて「大統領閣下」と呼んだのは、たぶんわたしだ。

何カ月も前から、ロウはケネディ家が全員そろった写真を撮ろうとしてきた。これがベストの、おそらくは最後のチャンスだっただろう。ロウはジョーに頼んで、やっと全員を呼び集めることができた。ジャックが散歩からつれ戻し、ジャッキーは2階で着替えてきた。「ジャッキーが部屋に戻ってきたとき、ケネディ家全員が立ち上り、次期ファーストレディを拍手で迎えた。感動的な光景だったよ」。座るのは、左から、ユーニス・ケネディ・シュライヴァー、ローズ・ケネディ、ジョーゼフ・ケネディ、ジャッキー・ケネディ、エドワード・ケネディ。立つのは、左から、エセル・ケネディ、スティーヴ・スミス、ジーン・ケネディ・スミス、ジョン・F・ケネディ、ロバート・ケネディ、パトリシア・ケネディ・ローフォード、サージェント・シュライヴァー、ジョーン・ケネディ、ピーター・ローフォード。

5

大統領就任

ケネディ家の全員が、遊説で得た経験と一家をアピールするすばらしい才能を発揮し、大統領就任式はこれまでになく上品で優雅で、著名人も顔をそろえた感動的な式典になった。猛吹雪のせいで、20センチあまりも積もった雪が首都をすっぽりと覆っていたことさえも、式典のすばらしさをそこないはしなかった。

ワシントンに着いて広報用のパスと証明書をつけたとき、わたしの気持ちは沈んだ。祝賀パレードの全ルートを追うだけで、30枚を超すパスが必要なのだ。ケネディ家に簡単に近づけたのは、もう過去のことになってしまったのか。だが少なくともその時点では、ケネディ家の権力構造や、どこに話を通せばうまくいくかもわかっていた。だからわたしは手をまわして、どうにか「全行事、全域に立ち入り許可」と書かれた「スーパーパス」を手に入れた。

わたしの宿泊先ではなかったが、メイフラワー・ホテルには顔を出さないわけにはいかなかった。ロビーは、まるで即席の再会パーティー会場だった。ネブラスカ、オレゴン、ウエストヴァージニア、カリフォルニアの各州で知り合いになった選挙運動員や政治家が、お祝いにかけつけていた。大勢の人たちとつかのまの再会を喜びあって、わたしは、その夜開催される最初のビッグ・イベント、大統領就任前夜祭のリハーサルがあるDCアーモリーに向かった。

アーモリーに着いたころには、ときおり雪がひらひらと舞う程度だった。前夜祭ではフランク・シナトラのステージが設けられ、レナード・バーンスタインやハリー・ベラフォンテ、トニー・カーティス、ローレンス・オリヴィエ、アンソニー・クイン、ベティ・デイヴィス、エラ・フィッツジェラルド、ジーン・ケリー、ナット・キング・コールなど、有名人が大勢登場する予定だった。午後には、ほかにも撮影にまわる予定のイベントがいくつかあったのだが、わたしがリハーサル会場を出るころには猛吹雪になっていた。メイフラワー・ホテルまで20分程度の帰り道が、2台のタクシーとバス1台を乗り継ぎ、数ブロックは足をとられながら歩くという、3時間半の旅になってしまった。

メイフラワー・ホテルのロビーにいた人たちも、途方にくれていた。午後8時になっているのに、前夜祭が中止されるのかどうかさえもだれも知らなかった。予定どおりだとしても、どうやってアーモリーまで行けばいいのか。わたしときたら、スポーツ・ジャケットに蝶ネクタイという格好だった。前夜祭は準正装がきまりだったのに、わたしのタキシードは泊まっているホテルにおいてあった。それにタキシードはともかく、アーモリーに戻るには、ロビーにい

p.170：1961年 1月20日、就任式当日。ミサをすませ、ジョージタウンの自宅を出るジャックとジャッキー。まずアイゼンハワー大統領とマミー夫人をホワイトハウスに迎えに行き、それから宣誓のために国会議事堂に向かった。

ワシントンDC、1961年1月

DCアーモリーでの就任前夜祭のリハーサルのあいだ、外は猛吹雪だった。フランク・シナトラが前夜祭に呼んだ有名人には、ナット・キング・コール、トニー・カーティス、ジーン・ケリー、レナード・バーンスタイン、ベティ・デイヴィス、エラ・フィッツジェラルドらがいた。

る人たちとタクシーの争奪戦になるはずだ。幸い、わたしはピエール・サリンジャーがこのホテルにいることを思い出し、電話をかけてみた。ピエールはもちまえの才覚で、「おやすい御用だよ」と請け合ってくれた。「兄弟の車を借りられたし、スノータイヤも装着ずみだ」

タキシードのことは頭から追いやり、ピエールと出発したわたしは、1時間もかからずに無事アーモリーに到着した。天候のせいで、わたしたちが一番のりといってもいいくらいだった。出席者がポツポツ現れはじめたが、みんなまちまちな服装なので、自分の軽装も気にはならなかった。次期大統領とジャッキーは11時になってようやく到着した。人ごみにもみくちゃになるジャックに張りつき、わたしは選挙戦に戻ったような気分を味わった。シークレット・サービスは、こんなにも足早に動きまわる社交的な大統領には慣れておらず、ジャックに追いつこうとあわてふためいているようすには笑えた。

すばらしい夜だったが、帰りも苦労した。ベッドに入れたのは午前4時30分だったのに、記念すべき日のために午前6時には起きた。まずジョージタウンのケネディの家に行き、ジャックはミサに出かけていたので、そこまで出向いていっしょに家に戻った。就任宣誓の前に、アイゼンハワー大統領夫妻をホワイトハウスに迎えに行くところから、第35代合衆国大統領の有名な就任式まで、わたしは1日中ジャックに張りつくつもりだった。大騒ぎの前夜祭から厳粛で感動的な就任式へと、大統領がなんなく気持ちを切り替えたのには、わたしはいたく感銘を受けた。

議事堂での就任式のあと、車列はコンスティテューション・アヴェニューとペンシルヴァニア・アヴェニューを、ホワイトハウスまでゆっくりと進んだ。わたしはカメラマン用のトラックに押しこまれていたが、大統領の車から遠すぎて写真を撮るどころではない。結局、わたしはトラックから飛び降り9キロもの重さの装備をかついで、ホワイトハウスまでずっと、大統領の車の横について走った。ジャックはあとで、大統領のほうが楽だから、カメラマンなんてやめて大統領に立候補すればよかったのに、とおどけた。へとへとになってホワイトハウスに着くと、大統領と家族がパレードを見物するボックス席が設けられていた。最初、警備担当者はわたしをそこに通そうとはしなかった。しかししばらく押し問答するうちに、ケネディ家がわたしの名前を知らせておいたことがわかり、ケネディ家と同じ目線でパレードを撮影することができた。

ジャックとボビーは山車が全部通り過ぎるまでパレードを見物し、ボックス席を離れるころには暗くなっていた。わたしはジャックについて、ホワイトハウスにはじめて足を踏み入れた。夜には就任祝賀舞踏会が予定されていたが、さしあたり、わたしはホワイトハウスを自由に歩きまわれた。手招きされているかのように、わたしたちは何カ月もひたすら、この場所をめざしてきたのだった。

KODAK SAFETY FILM
→7
→8
→9
→14
PAN FILM
→17
→18

DCアーモリーでの就任前夜祭のフィナーレ。猛吹雪でワシントンは20センチを超す雪に覆われたため、前夜祭は中止になりかけた。準正装のドレスコードはうやむやにならざるをえず、出席者もイブニングガウンからスポーツ用の服までまちまちな格好だった。出演者もそれは同じで、衣装を準備できなかったエセル・マーマンは普段着で歌った。悪天候をものともせず、前夜祭に到着した次期大統領とジャッキーは、文句のつけようのないいでたちだった。

次ページ：ジョン・F・ケネディに第35代合衆国大統領就任を宣誓させる、最高裁長官アール・ウォーレン。ロバート・フロストは自作の詩『献呈(Dedication)』に国民の期待を表現した。
「詩と権力の黄金時代
この日の真昼にそれははじまる」

7
17
NO
LEFT
TURN

E PLURIBUS
UNUM

p.178-179：極寒の日、ジャックとジャッキーは、就任式から車で観閲席へと移動した。その移動中の大半、ロウはカメラの装備をかついでリムジンといっしょに走った。ジャッキーは、就任祝賀パレードを１時間ちかく見物してから、祝賀舞踏会の着替えに立った。ジャックは夕闇に包まれるなか、最後の山車が通り過ぎるまでそこにいた。

「ジャックの戦友が乗るPT109の山車が近づいた。この人目を引くグループからは大歓声が上がった。『よくできてるじゃないか！』ジャックも叫んだ。それからはどんちゃん騒ぎだった」

第１回就任祝賀舞踏会がDCアーモリーで開催された。舞踏会は５回行われ、ジャックはそのすべてに出席した。ジョン・ジュニア出産後２カ月のジャッキーは、まだ体力がすっかり回復してはいなかった。ジャックは舞踏会のあと、ジャーナリストのジョーゼフ・オルソップがジョージタウンの自宅で開く、有名な夜のパーティーに出かけた。

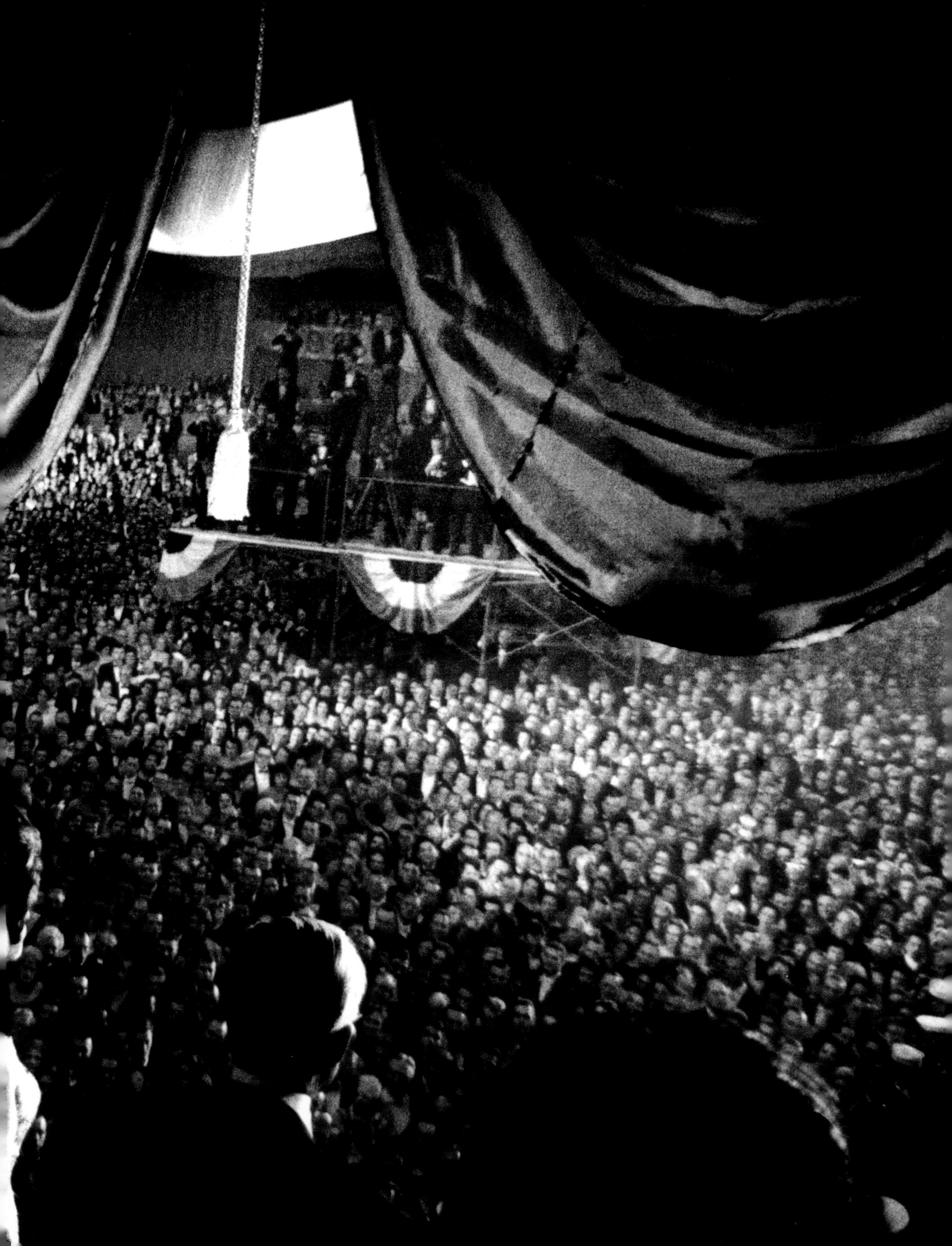

6

ホワイトハウス

大統領がはじめて大統領執務室に足を踏み入れたとき、わたしもはじめてここを目にした。1961年1月21日のことだ。この部屋でまず目についたのは、美しい寄木張りの床のあちこちに、数えきれないほどあいている小さな穴だった。調べてみると、前大統領アイゼンハワーがしょっちゅうゴルフ・シューズで歩きまわり、パットの練習をしたためにできたものだとわかり、床はすべて張り替えることになった。

大統領になったジャックには簡単に近づけなくなるのではと思ったが、その心配はすぐに解消した。大統領はわたしに、ホワイトハウスの公式カメラマンの仕事をして欲しいと言った。そうなれば、リボン・カットのセレモニーや、来訪する要人との握手も撮らなければならない。しかしわたしはフリーランスのフォトジャーナリストだ。わたし自身がボスのようなものなので、政府に仕える仕事はわたしのスタイルには合わなかった。それでもジャックは、大統領の職務をなかから記録して欲しいんだ、と説明し、こう言った。「張りついて撮ってくれ。そうしてもらうだけの仕事はするから」

大統領就任当初の数カ月、わたしはジャックの仕事すべてに同行する特別許可証をもっていた。大統領のすすめでわたしは、大統領のスタッフや、閣僚やそのスタッフのそばにつき、彼らの会合に同席し、オフィスにも入りこんだ。新政権の歯車がうまくかみあうまでには緊張や苦労もあったが、ジャックがそれを楽しんでいることははっきりと見てとれた。ジャックはいつも足早に歩き、臨機応変に記者会見を行った。

ジャックはしょっちゅう、選挙戦で金を稼いだのはロウだけだと言ってわたしをからかったが、実際には、わたしには十分気を配ってくれていた。写真撮影を求められると、「ジャック・ロウを呼んでくれ」と言う。そして、ホワイトハウス内で撮影を許されているカメラマンは、この男だけだと紹介してくれるのだ。NBCが、就任まもないジャックを16ミリカメラで追うドキュメンタリーを制作したいと言ってきたときも、ジャックは断わった。「君たちの取材には写真を使ってもらう。それに、わたしに張りついて撮影するのはロウにまかせるよ」と言うジャックに、NBCはわたしを雇うしかなかった。ジャックは最高のエージェントでもあった。

ホワイトハウスに入ってからの数カ月、わたしは大統領執務室で長時間過ご

p.184：大統領執務室で。デスクに身をのり出し手をついて支えているときは、持病のせいで大統領の背中が激しく痛んでいるのだった。

ホワイトハウス、1961年1月

葉巻に火を点けることは多くはなかったものの、小道具に使ったり、気分転換に吸ったりすることはあった。上院多数党院内総務として力をふるったリンドン・ジョンソンも、副大統領としては孤立し満たされなかった。ケネディの側近たちは、ジョンソンを陰では「南部おやじ」と呼んでいた。

次ページ：1月25日、統合参謀本部との初会合は機密性の高い内容だった。中央写真、左から、アーレイ・バーク提督、アンドルー・グッドパスター将軍、デヴィッド・シャウプ将軍、ジョージ・デッカー将軍、統合参謀本部議長ライマン・レムニッツァー将軍。

→8
KODAK SAFETY
→10
FILM
→11

THE
PRESIDENT
JAN 20 1961

「ジャックは将軍たちが自分にあまり敬意を払っていないのを知っていて、なにかにつけ、将軍たちの尊大さを鼻で笑うような態度をとっていた」

大統領との初会合で、統合参謀本部はフィデル・カストロ打倒策を6案説明した。アレン・ダレスを長官とするCIAは、キューバに対する軍の企てを引き継ぐことになる。それは3カ月もたたないうちに、ピッグズ湾侵攻失敗という結果に終わった。写真の統合参謀本部メンバーは、左からトマス・D・ホワイト将軍（空軍）、アーレイ・バーク提督（海軍）、ジョージ・デッカー将軍（陸軍）、議長のライマン・レムニッツァー将軍。将軍たちは、会合にロウが同室するのを非常に嫌がったが、ジャックはそれを押しとおした。

ホワイトハウス、1961年4月

ジャックの疑念に満ちた表情から、話し合いの内容が好ましくないことがうかがえた。上の写真は、ピッグズ湾侵攻の1週間前、国務長官ディーン・ラスクとCIAの作戦責任者リチャード・ビッセルが、大統領とこの件について話し合っているときのもの。下の写真、意見を述べているのは国防長官ロバート・マクナマラ。

した。刺激に満ちた選挙戦を経験したあとでは、執務室はいかにも狭く、閉所恐怖症気味になったものだ。フランス窓のむこうにはローズ・ガーデンがあり、屋根の下の通路には無線を携帯したシークレット・サービスが配置されている。大統領のデスクから見て左には、息抜きして仮眠をとったり、ごく私的な用事をすませたりする狭い部屋があり、右には個人秘書のエヴェリン・リンカーンのオフィスがあって、エヴェリンにも秘書がついていた。秘書のオフィスのむこうは閣議室だ。それから大統領にむかいあうドアを出るとホワイトハウスのコロナードへと通じ、シークレット・サービスが最低ふたりは立っていた。

１日の大半、わたしは大統領執務室につめて、ジャックが書類仕事をこなしたり、口述録音したり、電話で話すおりおりに写真を撮った。ジャックは、聞かれてはならない話だからといって、わたしに執務室を出るよう命じることはなかった。もちろんわたしは高レベルの機密に接する許可を得ていたし、ホワイトハウスのパスももっていた。とはいえ、ずっとカメラマンがつきっきりだと、地位に関係なく、だれだって落ち着かないものだろう。それでも、大統領の弟たちから外国の政治家、国務長官にいたるまで、大統領執務室を訪ねてくるありとあらゆる人を、ジャックはわたしに撮らせた。そして、夜、夕食を終えたジャックが戻ってきて書類仕事をかたづけるときには、執務室はわたしとジャックのふたりきりになった。

わたしはジャックにとって、いてもまったく気にならない存在だった、というわけでもなかったと思う。話の聞き役のようなものだったのではないだろうか。ジャックは仕事をやりかけたまま、好きな政治家、嫌いな政治家についてコメントしたり、わたしに演説の感想を言わせたり、訪ねてきた人への反応を見たりしていた。腹が立つことがあると、ジャックはその相手の悪口をわたしに言う。そうかと思うと、仕事に没頭しているときには長時間口を閉ざし、わたしもじっと座っていた。

ジャックから、用事を頼まれたことがある。わたしはドアまで行ったものの、なにをするのかよくのみこめずに、ジャックをふり向き聞いた。「どうすればいいんです？」

「ドアを開けるだけだよ。頭を廊下に出して、小声で呼ぶだけでいいんだ」

わたしは声を出す必要もなかった。ドアを開けたとたん、18人もの人々がいっせいに行動を起こした。大統領を手伝おうとするわたしを手助けするためにだ。

就任式の数日後、ジャックは統合参謀本部とはじめての会合をもった。ジャックはこのときも撮影させるつもりだったが、将軍たちは機密には非常に敏感なはずだ。わたしは大統領に、どうしましょうか、と聞いた。

「僕が先に入って、５分後に君が入ってくるのはどうだ」とジャックは言った。「ノックはいらないから、さっと入ってこいよ」

そこでわたしは、ジャックが段取りをつけているものと思い、５分後に部屋に入った。しゃべっていた統合参謀本部議長ライマン・レムニッツァー将軍の顔が見るからにこわばり、わたしは、ジャックが撮影のことをなにも知らせていなかったことを悟った。

ジャックは言った。「続けてください、将軍。なにかお困りですか？」。よくわかってやっていることはまちがいない。

わたしが部屋を歩きまわり写真を撮りはじめてから、将軍はようやく話を再開した。ジャックは将軍たちが自分にあまり敬意を払っていないのを知っていて、なにかにつけ、将軍たちの尊大さを鼻で笑うような態度をとっていた。

大統領はまた、とくにカチンとくることがあったときには、自分で電話をとったりかけたりして人をまごつかせるクセがあった。ある晩、ニューヨークの自分のスタジオに戻っていたわたしが電話に出ると、聞きなれた声が強い口調でわたしの名を呼んだ。「おい、ロウ！」。ニューヨークタイムズ・マガジンが、わたしが撮った写真を表紙に使ったというのだ。ジャックがメガネをかけている写真だ（実際には頭の上に押し上げていたのだが）。この写真は以前にも使われたことがあったが、その後、ジャックはメガネの写真を出したがらなくなっていたのだ。とはいえ、いったん言いたいことを言ってしまうと、ジャックはけろりとしていた。

ジャックが自分で電話をかけたために、笑い話みたいになることもあった。ある夜ジャックは、ある委員会への参加を依頼するため、アトランタ・コンスティテューション紙の編集者、ラルフ・マクギルに連絡しようとした。

「お父さんはいるかな」ジャックがマクギルの娘にたずねていた。「そうか、いないなら、お母さんに代わってくれないかい。だれかって？　大統領だよ。お母さんに、大統領がお父さんに話があるって伝えてくれないか」

母親が電話に出て、相手が本物の大統領だとわかると、ほんとうに気を失いそうになってしまった。

党大会のあいだに、ジャックはジャーナリストたちにとても気さくに接するようになっていた。ホワイトハウスに入ったジャックは、国民との接点をなくさないためには自分のコミュニケーション能力を活用することだと考え、公式の記者会見以外にも、ホワイトハウス付きの記者たちの意表をついて、即席の取材の場を設けることも多かった。そうすれば、自分でテーマを選ぶこともできた。そうした取材の場で、あるとき女性記者のメイ・クレイグが、女性の権利にかんする選挙公約について、ジャックに質問をつきつけたことがあった。ニューイングランドのローカル紙数紙に記事を提供するメイ・クレイグは少し変わり者で、いつもへんな帽子をかぶっていることで知られていた。女性の権利について意見を求められるとは思ってもいなかったジャックは、こう答えるにとどめた。「そうですね、なんであれ、まだまだですよね」。それは大きな笑いを誘ってしまった。そこにいた記者はみな、クレイグが長年、大統領への質問回数を、ワシントンの男性記者たちとしゃにむに張り合ってきたことを知っ

キャロライン・ケネディがホワイトハウスの主導権をにぎり、スタッフにもすっかりなついていた。長年秘書をつとめるエヴェリン・リンカーンのオフィスで、新聞の見出しに目を走らせるジャック。ジャックは何紙もの新聞に目を通していた。

「1日の大半、わたしは大統領執務室につめて、ジャックが書類仕事をこなしたり、口述録音したり、電話で話すおりおりに写真を撮った。ジャックは、聞かれてはならない話だからといって、わたしにオフィスを出るよう命じることはなかった」

SEAL OF THE PRESIDENT OF THE UNITED STATES
KODAK TRI X PAN FILM
KODAK SAFETY FILM
22
23
29
30

ジャックはジャーナリストにはとても気さくに接したので、予定にある記者会見以外にも、よく即席の取材の場を設けた。記者団のなかでもつわ者が、ちょっと変わった帽子で有名なメイ・クレイグだった。クレイグはニューイングランドのローカル紙数紙に記事を書いていて、ジャックがはじめて下院に立候補したときから彼を取材していた。写真は閣議室で、クレイグはじめ、記者たちに話しかけるジャック。

ていたからだ。しかしジャックは、クレイグにばつの悪い思いをさせるつもりはまったくなかったのだ。クレイグの新聞の読者はごくわずかだったが、マサチューセッツ州の下院議員と上院議員時代には、彼女の書く記事もジャックにとっては大事だった。ジャックはそれを忘れず、記者会見にはかならずクレイグを呼ぶよう気を配っていた。

ケネディ家は、幼い子どもにはかなり甘かった。ホワイトハウスの主導権はキャロラインがにぎり、スタッフはみな、キャロラインが思わぬときにオフィスに入ってくるのにも慣れた。だがジャッキーは、娘を人前に出すのを以前よりも嫌がるようになっていて、キャロラインを撮るときには気をつける必要があった。わたしはジャッキーの方針を尊重しようとした。ところが、ニューズウィーク誌にいるジャックの親しい友人、ベン・ブラッドリーに頼まれるようなことがあると、ジャックはわたしを執務室に呼んで、キャロラインの写真を撮ってくれと言う。

「無理ですよ。ジャッキーがキャロラインの写真を雑誌にのせたがってませんから。約束したんですよ。だから、ジャッキーの許可なしにキャロラインの写真は撮れません」

「だったら、ジャッキーに言わなければいい」

「ニューズウィークに写真がのったら、だれが撮ったかわかるでしょう」

「撮ってくれよ。ジャッキーには僕がちゃんと言うから」

わたしは撮るしかなかった。写真を撮ってブラッドリーに渡し、そしてまたジャッキーに大目玉をくらうことになる。わたしは黙って聞いているしかない。ジャックを指さし、「大統領がやれって言ったんです」と言うわけにはいかなかった。

ジャッキーは写真の力をよく理解していた。ジャキーにとって写真は芸術作品だった。ジャッキーが関心をよせたのは、構成、明るさ、陰影といった要素で、ピーター・ビアードやマーク・ショウといったカメラマンとも交流があった。一方、ジャックが重視するのは内容だった。ジャックにとっての写真とは記録だ。ケネディ家は全員、写真を撮るのがとても好きだったが、それは一家の歴史の記録と広報のためのものだった。ボビーは家中の壁やピアノの上、マントルピースやトイレに額入りの写真をおき、シャワールームの壁にまで防水用のガラスを張って写真を飾っていた。ジャックは、タイム誌とニューズウィーク誌の表紙を飾った自分の写真の優劣を、長時間わたしと議論することもあった。

ジャックがメガネをかけた写真を嫌ったのは、見ばえを気にしてだけのものではなかった。身体的な弱さを認めたくはなかったのだ。ジャックは慢性のアジソン病の治療を受け、また激しい背中の痛みに頻繁に悩まされていた。党大会の前には、リンドン・ジョンソンがジャックのアジソン病を攻撃材料にしようとしたが、選挙戦ではその話題をうまくかわしていた。ジャックはどんなときも元気で活動的な姿を見せようとした。それでも、背中に力がかからないように、立ったまま、両手で支えてデスクやテーブルに少し身をのり出し、新聞や書類を読んでいることも多かった。そうしたときは、痛みがひどかったのだ。選挙運動中はほぼ痛みを抱えている状態だったが、ジャックはそれを理由に活動を控えようとはしなかった。

わたしがはじめて出した本『ポートレート（Portrait）』は、選挙運動中から就任式までのケネディを追ったものだ。1961年のはじめに刊行されると、わたしはサインしてもらおうとジャックに１冊もっていった。ボビーと、選挙運動にかかわった大勢の支援者たちはもうサインをすませていて、わたしはジャックとジャッキーがサインするページを残していた。ジャックは上から下まで、そのページをまるごと使ってサインしてくれた。そしてジャックは、1959年の凍えるような日に、ポートランド空港に到着したときの写真がのるページを開いた。すでに本にはひととおり目を通してくれていたのだ。この写真は、出迎えたのがたった３人のときのものだ。

「この日のことなんてだれも覚えてはいないだろうが、だからこの写真が好きなんだ」

ジャックにぐっとくるのは、こういう反応をよこすからだった。輝かしい写真は山ほどあるのに、ジャックがほんとうに満足するのは、ここまでの道のりのはるかさを思い出させてくれるものなのだ。しばらくしゃべってからわたしが帰ろうとすると、ジャックは言った。「おい、ロウ」

ジャックはかすかに笑みを浮かべていた。「なんです、大統領閣下」

「５ドル借りがあるってほんとうかい？」

わたしはこの本に、ジャックがそばにいるスタッフからしょっちゅう小銭を借りることを書いていて、そのなかに、わたしから５ドル巻き上げてベルボーイに渡した話もあった。「ホントですよ、大統領閣下」

「そりゃあ、うけるな」とジャックは答え、それで小銭の話はおしまい。５ドル戻ってくることはなかった。

ホワイトハウスに入ってからしばらくは、わたしはリンドン・ジョンソンをしょっちゅう見かけた。彼が大統領執務室に頻繁に出入りしていたからだ。ジャックはジョンソンに対して礼儀正しい態度をくずさなかったものの、ジョンソンの、新政権内での役割拡大を求める働きかけは、からぶりに終わっていた。２、３カ月もすると、ジョンソンは政府第２位の人物から、つけ足しの存在になっていた。大統領はジョンソンをすべての閣議に出席させたが、ジョンソンに実質的な権限はなかった。ジョンソンは感情を隠すことに慣れておらず、不満をためこんでいるのがはた目にもわかることが多かった。ジョンソンと一番ウマが合わなかったロバート・ケネディが、大統領一番の側近にとどまらず司法長官として入閣したことも、彼の不満をやわらげるはずがなかった。

ボビーの司法長官就任に一番こだわったのは、ジャックと父親のジョー・ケネディだった。ほかの人たちは（ボビーも含め）ほぼ全員が、反対していた。南部では、ボビーが公民権問題に傾倒しすぎだと考えられていたし、そうではなくとも、労働搾取問題をとりあげたマクレラン委員会での厳しい法律顧問ぶり（非道という人もいた）は、多くの人の記憶に残っていた。しかしジャックには近しい間柄の閣僚がなく、また公民権問題を前進させるつもりがあるなら、カギをにぎるのは司法長官であることもわかっていた。ジャックはボビーを説得し、就任が決まると、兄弟は結束を強めた。ふたりは１日に２、３度顔を合わせ、電話でも１時間ほど話し合っていた。

ジャックのことは「大統領閣下」と呼ぶようになっていたが、ボビーはずっと「ボビー」のままだった。選挙戦を通じて親しくなったジャックとは違い、ボビーとはそれ以前から特別な関係を築いていた。ボビーはジャックよりも感情を表すことが多く、わたしがとっつきやすく思っていたのも理由のひとつだ。ジャックのほうが理知的で、自分のスタイルをくずさなかった。一方ボビーはすぐにかっとなったが、温かい性質も見え隠れしていた。ウエストヴァージニア州の予備選挙後にボビーがハンフリーの肩を抱いて慰めたときも、目には涙が浮かんでいた。

大統領に就任したケネディを写真に収める仕事をはじめたわたしは、またワシントンで過ごす時間が長くなり、以前のように、週末にはヒッコリー・ヒルのボビーの自宅を訪ねるようになっていた。そこは５年前と同じくにぎやかだった。違うのは、子どもとアヒル、ガチョウ、馬、ウサギ、犬の数が増えたことくらいだ。ボビーは子煩悩で育児に熱心な父親で、いつでも喜んで子どもたちと遊んだ。ケネディ家では客のチーム相手にフットボールのゲームをやるのだが、ボビーはそれを企画するのが大好きだった。ケネディ家の年少の子どもたちが相手のときでさえ、その負けん気の強さに、たいていの客はたじたじになった。それにエセルのエネルギーと熱心さもボビーにひけをとらなかった。ひとチームできるだけの客がいないと、ボビーとエセルは家族を分け、敵味方になってプレイした。夏になると、ロバートとエセル・ケネディのにぎやかな一家はハイアニスポートに場所を移す。そこで乗馬やボートや、いつもどおり、タッチ・フットボールをめいっぱい楽しむのだ。

7 RFKとわたし

p.204：大統領選直後、ハイアニスポートにて。ジャックは弟に司法長官をやる気はないかともちかけた。ボビーは断わったが、ジョー・ケネディはその案にこだわった。ジャックはその後エイブ・リビコフに打診したが、リビコフは保健教育福祉長官を望み、同じく打診されたアドレイ・スティーヴンソンは外交問題に興味があり、国連大使になった。ボビーは説得され、最終的に受け入れた。

ロバート・ケネディ一家のクリスマスカード用の撮影は、毎年大仕事だった。エセルは6月に入るとわたしに電話をかけはじめ、テーマを決めてちょうだい、と頼む。そして、8月になってわたしが腰を上げるまで矢の催促だ。まだ家族の人数が少ないうちは、全員そろった写真をとるようにしていた。だが家族が増えると（最終的に子どもは11人になり、末っ子はロバートの死後誕生した）、全員をそろえて、同時ににっこりさせることは至難の業だった。そこでわたしたちは、子どもたちを別々に撮った写真集を作ることにした。ある年は、それぞれがお休みのお祈りをしているところ、別の年には、キャンドルをもっているところ、というぐあいだ。ある年にはちょっと手間をかけて、子どもたちがそれぞれ好きな動物をつれている写真を撮ることにした。マイケルまではすんなり進んだ。ところが、マイケルはガチョウ数羽といっしょに写るはずが、ガチョウはちっとも協力的ではなかった。わたしがマイケルとガチョウを1枚に収めようと狂ったように走りまわるので、司法長官とエセル、それに友人たち何人かが協力して、ガチョウを集めて並べようとしてくれた。だがやっとガチ

ジャック・ロウがボビーの娘のメアリー・ケリーとくつろぐ珍しい写真。ヒッコリー・ヒルで、ロウが家族写真を撮る直前に写されたもの。

ョウを並ばせたと思ったら、今度はマイケルがぐずってしまい、このときの撮影には何時間もかかってしまった。

ヒッコリー・ヒルではなにもかもがいつもおもしろく、ちょっと収拾がつかない、ということもしょっちゅうだった。ボビーが夕食に10人、20人の客をつれてくるというのに、エセルが連絡をもらうのは直前のこともあった。ここには有名人や高官、ジャーナリストがいつも出入りし、週末にはいつ行っても、ジョン・グレン、フランク・シナトラ、ジョーゼフ・オルソップやサー・エドモンド・ヒラリーといった著名人に会えた。

ボビーは、やることなすことすべてに超人的な集中力で取り組んだ。ハーヴァード大学では、成績がふるわずにロースクールに進めず、ヴァージニア大学ロースクールでやっと受け入れてもらった。学生時代に平凡な成績しか残せなかったために、自分にむち打つように努力していたのだろう。ボビーは、アーサー・シュレージンガー・ジュニアに、ヒッコリー・ヒルで毎月、夜にセミナーを企画してほしいと頼んだ。政権のメンバーに、政界以外の思想家、著述家の世界に触れてほしかったのだ。哲学者のサー・アイザイア・バーリン、経済学者ジョン・ケネス・ガルブレイス、それに漫画家のアル・キャップまでもがセミナーを担当し、参加者は講師にどんどん質問するよううながされた。ボビー自身も、とくに歴史にかんする読書量が多かった。それに、ボビーもわたしも議論や討論が好きだったことも、わたしたちがうまくいった理由のひとつだった。

ボビーが司法長官になると、わたしは司法省の執務室でも写真を撮った。どちらかといえばボビーのほうが、ジャックよりも、威厳や権力を象徴するようなものに我慢できないたちだった。そのため、司法省にある広く威嚇するような司法長官の執務室は、さっそく手を入れられた。ボビーの子どもたちが執務室に出入りし、子どもたちの描いた絵が張られると、暗い羽目板張りの部屋はすっかり明るく変わった。ボビーはスタッフにも子どもをつれてくるようすすめ、ときには犬をつれて出勤した。スタッフがミーティングをするときも、席にはつかず、和気あいあいとやっていた。

ボビーは兄弟のなかでもとくに信仰心が篤く、どんな行動にも道徳的な面を考慮しようとした。キューバ・ミサイル危機のときも、合衆国が不意打ちを行い、何千人もの罪のないキューバ市民の命を奪うという案を受け入れなかったのはボビーだった。またタカ派の激しい反対をはねつけ、臨検と海上封鎖を一番熱心に支持したのもボビーだった（このために、カーティス・ルメイ将軍はボビーを人前で臆病者呼ばわりした）。

そして、信仰心にもとづく取り組みのなかでもボビーが一番熱心だったのが、社会的、経済的公正さにかんする問題であり、学生時代にすでにその活動で名をあげていた。ロースクールに働きかけて、国連のアフリカ系アメリカ人外交官であるラルフ・バンチが、人種の区別なく、集まった聴衆を前に演説するこ

ヒッコリー・ヒル

家族、友人、スタッフが、来訪した学者や専門家といっしょに楽しむ。ヴァージニア州のボビーの自宅プールで。

タッチ・フットボールのチームを作るだけの客がいないときは、エセルとボビーは家族をふたつのチームに分けて戦った。エセルは妊娠中であろうとなかろうと、たいていはやる気満々でプレイした。ある年の夏には、出産を控えたエセルが、ハイアニスポートでタッチ・フットボールをしていたこともあった。「翌週の日曜には入院していて、その2カ月後にニューヨークで会ったときには、もう元どおりスリムになってたよ」

家族写真を撮る習慣は続いた。次々と子どもが生まれるので、ヒッコリー・ヒルの自宅は、毎年の家族写真や、クリスマスカードに使わなかった写真であふれていた。エセルは全部で11人子どもを産み、末っ子はボビー暗殺後に生まれた。写真は1961年のもの。子どもたちは、左からキャスリーン、ボビー・ジュニア、メアリー・ケリー、デヴィッド、コートニー、マイケル、ジョー２世。ヒッコリー・ヒルでは、タッチ・フットボールのほかにも乗馬をよく楽しんだ。

ボビーはさまざまな職業の人々や専門家を、ヒッコリー・ヒルとハイアニスポートの自宅に招くのが大好きだった。エセルとボビーといっしょに車のフロントシートに座るのは、フォトジャーナリストの大御所、アンリ・カルティエ＝ブレッソン。

ワシントンDC、1961年

FBIをわが物顔に支配するJ・エドガー・フーヴァーは、公民権に対する信念から個人的スタイルまで、ボビーのすべてにいらだった。ある日、フーヴァーが司法長官の執務室を訪ねてきたとき、ボビーは壁のボードにダーツを投げはじめた。おそらくフーヴァーをいらつかせるための行為で、実際そのとおりになった。だがボビーがボードを外して壁にあてると、フーヴァーはカンカンになって訪問を切り上げた。あとでフーヴァーは、ボビーの行為は「政府財産に対する冒瀆」だと言った。

とを実現させたのだ。これは、ヴァージニア州では人種差別撤廃にかかわるイベントが禁じられていた当時のことだ。ジャックがもっと政治的、実際的な考えで行動したのに対し、貧しい人々や黒人、抑圧された人々にボビーが抱く一体感は、自然にわいてきたものだった。そしてボビーとJ・エドガー・フーヴァーの対立が一番激しかったのが、公民権にかんする問題だった。

長くFBI長官の座にあるフーヴァーは、ワシントンの全スキャンダルを把握しているともうわさされ、恐れられる存在だった。フーヴァーからすれば、新しい上司であるボビーは自分より30歳も若いだけでなく、大統領の弟であり、一番の側近だった。フーヴァーはボビーを毛嫌いした。しかしこれからは、前司法長官時代のように、長官の頭越しに直接大統領に進言することはむずかしくなる。フーヴァーがホワイトハウスを儀礼的に訪れたあと、わたしはボビーといっしょにフーヴァーのオフィスへ出向いたが、そこで両者は警戒心をあからさまにしていた。

ボビーは、フーヴァーが組織犯罪に対して行動を起こさないことがもどかしくてならなかった。さらに公民権の問題となると、ふたりの意見は真っ向から対立した。ボビーは司法省を統合すべきだと主張し、若い黒人弁護士を登用しようと積極的に動いた。しかしFBI統合をもちかけると、フーヴァーは激怒した。また、フーヴァーがマーティン・ルーサー・キングを嫌悪し、コミュニストだとみなす一方で、ボビーはキング擁護の立場をとっていた。

1968年、わたしは、ボビーの民主党大統領候補の指名獲得に向けた選挙運動に、短期間同行した。4月4日の午後、ボビーはインディアナ州マンシーで演説した。夜には、インディアナポリスの黒人ゲットーの中心地での集会が予定されていた。わたしたちがマンシーの空港に到着したとき、ピエール・サリンジャーからボビーに、マーティン・ルーサー・キングがメンフィスで銃撃されたとの電話が入った。ピエールは、わたしたちに集会を中止したほうがいいのではないかと言った。そしてインディアナポリスに着いたときには、キングの死の一報が入った。空港でわたしたちを出迎えた警察署長は、ゲットーには入らないよう警告したが、ボビーはこのまま集会場に向かうと言って引かなかった。ゲットーに車を乗り入れるときには、警察の護衛は姿を消していた。すでにかなりの聴衆が集まっていた。会場は明るいムードで、暗殺のニュースが伝わっていないのは一目瞭然だった。平台トラックの演壇から、ボビーは聴衆に恐ろしい知らせを告げ、人々は打ちのめされた。だが、ボビーは自分の家族に起きた悲劇を引いて、わたしがそれまでに聞いたなかで最高の演説を行った。ボビーは、癒しが必要であること、そして暴力と無法という問題を克服しなければならないことを訴え、聴衆は静まり返ってそれを聞いた。結局、その悪夢のような日に、インディアナポリスは、暴動が起こらなかった数少ない大都市のひとつとなった。

ふだん、兄弟の行き来はそう多くはなかったが、職務中には電話で1時間ちかく話した。ジャックはボビーのアドバイスをいつも聞き入れるわけではなかったものの、かならずボビーに意見を求めた。また、ボビーのアドバイスと支えがなくてはならないときもあり、キューバ・ミサイル危機はまさにそうした問題だった。

8

世界の舞台で

電話が相手のときでさえジャックはとても表情豊かで、話している最中に写真を撮られようが気にはしなかった。大統領に就任してすぐの1961年２月、ジャックが、当時国連大使だったアドレイ・スティーヴンソンから電話を受けたときも、わたしはいっしょに大統領執務室にいた。写真を撮っていると、肩を落とし額に手をやったジャックの口から、「なんてことだ！」という言葉がもれた。ジャックは、退陣からまもない元コンゴ首相、パトリス・ルムンバ暗殺の知らせを聞いたところだった。ルムンバの死は実際には大統領就任前のことだったが、コンゴ情勢は混とんとしており、このときやっと第一報が入ったのだ。ルムンバは、コンゴで国連の平和維持軍の保護下にあるとされていた。これはジャックにとって手痛い一撃だった。ジャックは、前政権が急進派とみなしてアフリカの国家主義者の一部とは、新しい関係を築きたいと願っていたからだ。ジャックが思わず驚きの言葉をもらしたところをみると、就任当初には、アイゼンハワーの暗黙の働きかけでCIAがルムンバ暗殺を企て、最終的にはベルギーの治安部隊が手を下したとみられることを知らなかったようだ。

ルムンバの１件で、わたしが写真に収めている人々が、困難で、ときには危険性の高い問題に取り組んでいることをあらためて思い知らされた。ジャックがわたしにカメラをもちこませて将軍たちをいらつかせた、あの統合参謀本部との初会合でも、将軍たちはフィデル・カストロ排除案のリストを大統領に提出していた。その数日後の別の会合でも、CIA長官アレン・ダレスが、CIAの計画案を説明している。ゲリラを訓練してキューバに潜入させ、カストロ政権転覆を狙うというのだ。その後２カ月にわたって何度も会合が開かれ、CIAのやり手副長官リチャード・ビッセルが指揮をとるプロジェクトは、キューバ侵攻へと進展し、大失敗に終わった。

ジャックが世界へと目を向けたこの時期には、悪いことばかりにみまわれたわけではなかった。就任早々に迎えたのが、イギリス首相ハロルド・マクミランだ。ジャックは、マクミランの先達としての助言を高く評価し、また、イギリスとの「特別な関係」を深く信頼していた。父親が駐英アメリカ大使だったころジャックもロンドンに住んだことがあり、さらにジャックのハーヴァード大での卒業論文「ミュンヘンの宥和（Appeasement at Munich）」は、第二次世界大戦前夜のイギリスの対応策を分析したものだった。これはその後『英国

p.220：パリのエリゼ宮で、1961年５月

ホワイトハウス、1961年2月

アドレイ・スティーヴンソンが、退陣したコンゴ共和国首相、パトリス・ルムンバの暗殺を電話でジャックに知らせてきた。ジャックが驚愕し悲しむ瞬間をとらえたこの写真は、ロウにとって最高の１枚だった。

ホワイトハウス、1961年4月

スエズ危機の失敗後、イギリス首相ハロルド・マクミランは、アイゼンハワー大統領との関係修復につとめた。1961年3月、キーウエストで設けたケネディ、マクミランの短い初会談の結果は思わしいものではなかったが、翌月のマクミランのホワイトハウス訪問をきっかけに、良好な関係へと転じた。

知的なイギリス人を絵に描いたようなマクミランと、アイルランド系アメリカ人でボストン出身の政治家であるジャックとは、対照的な外見だった。しかしジャックは父親が大使のころイギリスで過ごし、イギリス史にかんする本を書いていたため、「特別な関係」の構築には心をくだいた。ジャックは新しい友人を作ったり、旧友に相談や助言を頼ったりすることはあまりなかったが、マクミランとは緊密な関係を築いた。

はなぜ眠ったか』と改題して出版され、好評を博した。

晩春、大統領は初の外遊に出た。一番の目的は、ウィーンでのニキータ・フルシチョフとの会談だった。しかしこの旅程には、ウィーンへの途上でフランスに立ち寄り、帰途にはロンドンを訪ねる予定も含まれていた。シャッターを切りまくるカメラマンが山ほど待ち受けているはずだから、わたしはこの旅には同行を求められないと思っていた。ところがロンドン訪問には、ジャックがめいの代父を務める目的があった。この行程は「プライベート」なものだったのでジャッキーはマスコミ報道を望まなかったが、ジャックはわたしには同行して撮って欲しいと頼み、ジャッキーもそれをのんだ。

わたしたちが出発したのは5月で、ピッグズ湾事件のわずか1カ月後のことだった。ジャックはキューバで失敗した作戦の全責任は自分にあると表明していたものの、海外でどう迎えられるか、いくらか不安もあった。だがパリに到着して、ジャッキーが流暢なフランス語で短いスピーチをした瞬間から、大統領夫妻は、ふだんは控えめなパリジャンたちを熱狂させた。百万を超す人々が通りに並んでパリを進む車列を待ち、「ジャッキー、ジャッキー、ジャッキー」と声を張り上げた。翌日からの数日間、フランス人はジャッキーの言動とその魅力にわいた。フランス人にとって、ジャックとジャッキーは新しく輝かしい合衆国の代名詞だった。もちろん、ジャッキーがフランスにルーツをもち、カレッジの1年生のときにフランスで過ごしたことがマイナスに働くはずもなかった。ジャッキーは厳格で傲慢なシャルル・ド・ゴール大統領をなごませようとつとめ、大統領がジャックに、ジャッキーはたいていのフランス人よりもフランス史に詳しい、と言った話は有名だ。記者たちとの昼食会で、ジャックのユーモアがみんなを笑わせたこともあった。「ジャクリーン・ケネディのエスコート役でパリに来ました。とても楽しんでます」と自己紹介したのだ。

エリゼ宮とヴェルサイユ宮殿では、盛大な公式晩餐会が行われた。ジャックとド・ゴールの考え方の違いは、国際関係についてだけではなく、広報問題など多岐にわたっていた。ド・ゴールはカメラマンを毛嫌いし、晩餐会でも一切撮らせようとしなかった。ジャックはもちろんあらゆることを記録に残したがった。結局、妥協策として、カメラマンを3人選ぶことになった。ヨーロッパと合衆国のメディアからひとりずつ。それにわたしだ。

わたしももうひとりのアメリカ人カメラマンもタキシードを持参していたが、エリゼ宮の晩餐会では、ホワイト・タイと燕尾服という正装が求められた。ピエール・サリンジャーは、フランス側の報道官と何度も交渉してくれた。最初、むこうはタキシードでもいいといった。次には一転して、それではダメだ、燕尾服が必要だという。その交渉にはジャックまでまきこんだが、ジャックにも、タキシードではだめな理由がさっぱりわからなかった。結局、晩餐会の数時間前になってフランスの報道官は、譲ることはできない、燕尾服を着用のこと、と通告してきた。あれは絶対に、わたしたちカメラマンを締め出そうと、ド・

ゴールが手をまわしたものだ。

わたしたちはホテルに走って戻った。運よく、わたしが泊まるクリヨンはすばらしいホテルで、マジシャンのようなコンシェルジュに恵まれていた。土曜の午後だというのにホワイト・タイと燕尾服を２組用意して、わたしたちの身体に合わせてくれたのだ。わたしたちはホテルを出た。シャツの硬いカラーがせりあがってくるので、わたしはしょっちゅう喉元をいじっていた。エリゼ宮に着いてみると、異様に細長いレセプション・ルームだ。わたしたちはその片隅に追いやられてベルベットのロープにはばまれ、おまけに16世紀から変わらない制服を着た10人の衛兵が見張っていた。パーティーが開かれているのはホールのむこう側、100メートルちかくも離れたところで、200ミリレンズを使ってもなにも撮れなかった。またしてもド・ゴールにやられた！

わたしたちが、手も足もでずにそこにつっ立っていると、駐仏アメリカ大使に任命されたばかりのジェームズ・ギャヴィン将軍が、わたしを見分けられるところまでやってきた。わたしは選挙戦でギャヴィンと親しくなっていて、取材することもよくあった。ギャヴィンはわたしがロープのむこうにいるのに気づくと、手招きして「こっちにこいよ」と呼んでくれた。

ロープをまたぐわたしに、衛兵は文句がありそうだったがどうすることもできなかった。わたしはパーティーにもぐりこみ、写真を撮りはじめた。どうにか、ジャッキー、ジャック、ド・ゴールがいるところまでたどりつくこともできた。わたしがいてド・ゴールの機嫌がいいはずはなかったが、ジャックにはことのなりゆきがのみこめていた。わたしのところに来て身を寄せ、「おい。フランス政府が、上流階級の集まりにあんなヤツがまぎれこんでるなんてけしからん、アレをちょん切ってしまえ、なんてこと言っても、合衆国大統領が助けてくれるとは思うなよ」とささやいたのだった。

パリ訪問はみんなの気分を大きく盛り上げたが、ウィーンでは同じようにはいかなかった。ピッグズ湾侵攻に失敗したジャックは、フルシチョフからみれば、経験不足で無計画な青二才の大統領にすぎなかった。だからフルシチョフは、ケネディを怖気づかせるつもりでウィーンにのりこんでいた。ここでもジャッキーは、一国の首脳を魅惑しようとつとめた。フルシチョフは、公式行事でジャッキーと同席するとうれしそうではあったが、だからといってジャックとの関係が好転したわけではなかった。ふたりは多くの問題で合意に達せず、とくにベルリンについてはへだたりが大きかった。パリではド・ゴール大統領から、ベルリンにかんするロシアの威嚇には毅然とした態度をとるよう忠告を受けていた。西ベルリンから連合国軍の部隊を撤退させたいフルシチョフと、現状維持を主張するジャック。戦争になってもおかしくはない状況だった。ふたりが互いにいらだっていることは、はた目にも何度もわかるほどだった。シェーンブルン宮殿の晩餐会では、ジャックが、フルシチョフがつけている勲章のことをたずねた。

パリ、1961年5月

ジャックの本格的な初外遊は、まずフランス、それからウィーンとロンドンをまわるものだった。パリでは、厳格で傲慢なところもあるフランスの指導者、シャルル・ド・ゴール大統領と一連の会談を設けた。ド・ゴールは、フルシチョフとのウィーン会談において、とくにベルリン情勢については、ジャックが断固とした態度でのぞめるよう力をつくしてくれた。

ジョン・ジュニアは難産だったが、ジャッキーがフランスへ発つころには、ようやく体調も戻っていた。儀礼のポーズをとるフランス儀仗兵のなかで、はつらつとしたジャッキーの若々しさが際立つ。ジャックもジャッキーもフランス国民から暖かく迎えられたが、フランス系でフランス語を話し、すばらしいスタイルで服を着こなすジャッキーは、フランス国民の心を強くとらえた。

エリゼ宮での豪華な歓迎会と晩餐会は、その年のパリの一大社交イベントだった。

「ケネディ夫人最高の、輝かんばかりのショットだ。パリでは、ジャッキーがパリジャンをすっかり魅了した。ジャッキーが小声で話すフランス語に、フランス人は虜になってしまった。ド・ゴール将軍もパリも、ジャッキーにぼーっとなって、だれもかれもジャッキーをまねたがってたよ」

ウィーン、1961年6月

ウィーンでの首脳会談。初日から、ソ連の指導者は対決姿勢だった。フルシチョフのがさつなひょうきんさの下には、「抑圧された怒り」が隠れていると、のちにケネディは言った。このロシア人が、若く経験不足の大統領など簡単にあしらえると思っていたのはみえみえだった。部分的核実験停止条約やベルリン情勢といった現実の問題では、ふたりの会談にまったく進展はなかった。

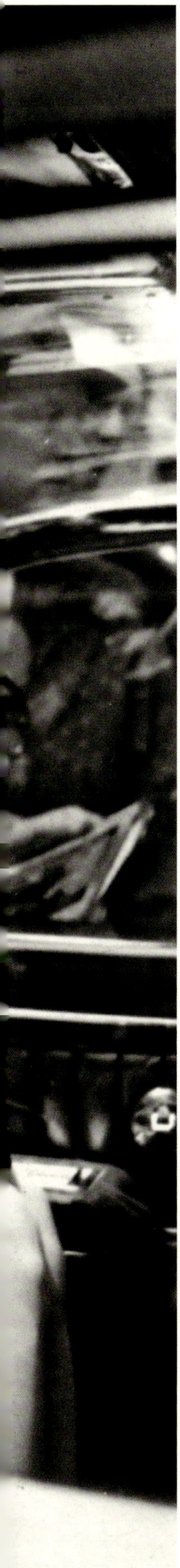

首脳会談のあいだ、ジャッキーはひとりでスケジュールをこなし、ファーストレディをひと目見ようと、ウィーン市民は辛抱強く待った。初日夜の、シェーンブルン宮殿での国主催の晩餐会では、フルシチョフがジョークや自慢話をジャッキーに次々と浴びせた。途中ソ連の宇宙開発の話題になると、ジャッキーは、宇宙犬の１匹が最近出産したという話を耳にしたと語り、「１匹送っていただきたいですわ」とジョークを言った。２週間たったころ、その子犬のうちプシンカがホワイトハウスに送られてきた。ジャックとニーナ・フルシチョフとの会話は、フルシチョフとジャッキーほどはずまなかった。

「レーニン平和賞だ」

「ずっとつけていられればいいですがね」とジャックは皮肉っぽく言った。

これとは別にも、ふたりが晩餐会の会場に入ってくるときには、カメラマンたちがフルシチョフにJFKと握手するよう求めた。

しかし、そばにジャッキーを見つけたフルシチョフは、「いやいや、わたしはケネディ夫人のほうがいい」と答えている。

会談が終わってふたりの首脳が別れるとき、フルシチョフは再度、ベルリン問題では方針を変えるつもりはないことを明言した。

「その場合は、長い冬になりそうです」とジャックは返した。

その後ジャックはロンドンへと向かい、フルシチョフとの不調に終わった会談について、ハロルド・マクミラン首相と協議した。ロンドン滞在中に、ジャックはウィーン会談にかんする最初の報道に目を通すことになり、その大半はジャックの対応を酷評していた。さらに何百人もの記者が会見すべきだと不満を述べたが、ジャックは、ロンドン滞在はまったく個人的な短期のものだからとつっぱねた。リー・ラジヴィルの娘、アンナ・クリスティナの洗礼式に出席するためのものだったからだ。

ジャッキーの妹のリー・ラジヴィルは、ロンドンに夫のスタニスラフ・ラジヴィル公と住んでいた。洗礼式が終わると、バッキンガム・プレース４番地の自宅で内輪のパーティーが設けられることになっていた。ジャックの会見を求める記者が何百人かいるとしたら、洗礼式とパーティーを撮りたがるカメラマンは、その十倍もいるかのように思えた。それでもジャッキーは譲らなかった。カメラマンは一切入れないし、わたしの存在も秘密にすると言い切った。そうはいっても、ほかのカメラマンは、なぜわたしがいるのかもちゃんと知っていたし、わたしがケネディ家と独占的な契約を結んでいると思いこんでいた。わたしはジャッキーに、メディア共有の写真を１枚出させてくれないかと頼んだが、ジャッキーはうんと言わなかった。これではわたしがカメラマンたちに好かれるわけがなかった。

わたしの仕事は秘密でもなんでもなかったが、ウエストミンスター大聖堂では、数人の警察官に警護してもらって裏庭から屋根にのぼり、こっそり天井にもぐりこまなければならなかった。洗礼式自体は形式ばらないもので、すぐに終わった。それから、ふたたびわたしは数人の警察官に守られてこっそり移動し、パーティーへと向かった。ロンドンの上流社会に属するリー・ラジヴィルと夫が開いたパーティーはきらびやかで、招待客も、ハロルド・マクミラン、ダグラス・フェアバンクス・ジュニア、ランドルフ・チャーチル、ヒューとレディ・アントニアのフレーザー夫妻、ジョーゼフ・オルソップなど、そうそうたる顔ぶれだった。フルシチョフと対峙した次の日には社交の場にとけこんでいるジャックを見て、舌をまく人たちもいた。だが、わたしには、ウィーン会談がジャックの気持ちをいくぶん乱しているのが見てとれた。

ロンドン、1961年6月

ロンドンに到着したとき、ジャックは疲れ、背中が痛んでいた。写真は、ウィーン会談をとりあげた新聞記事に目を通すジャックとピエール・サリンジャー。当初の報道はジャックの対応に肯定的ではなかった。しかし、ジャックと会談したマクミラン首相は心強い味方になってくれた。

ジャックのロンドン訪問のもうひとつの目的は、リー・ラジヴィルの娘で、ジャックのめいにあたるアンナ・クリスティナの洗礼式で代父をつとめることだった。ロウは洗礼式に同席することを許された唯一のカメラマンだった。外には千人もいるのではないかと思えるほどのカメラマンが列をなしていて、ロウは警察に護衛されてウエストミンスター大聖堂にもぐりこまなければならなかった。洗礼式のあと、ジャッキーはバッキンガム・プレイスにある妹の自宅で開かれたパーティーで、レディ・エリザベス・キャヴェンディッシュと会った。レディ・エリザベスの兄、ハーティントン侯爵は、大統領の妹キャスリーン・ケネディと結婚していたし、レディ・エリザベスの叔母はハロルド・マクミランの妻だった。

リー（ジャッキーの左隣）と夫のスタニスラフ・ラジヴィル公（右端）はロンドンで華やかな社交生活を送り、パーティーには上流社会の選び抜かれた人々が出席した。ロウはヨーロッパでの仕事を楽しんだが、選挙戦が終わったあとのワシントンにはものたりなさを覚え、ニューヨークに自分のスタジオを再開することにした。

帰国すると、ホワイトハウスを離れてニューヨークにスタジオを再開する潮時ではないかという気持ちがわいてきた。新政権の誕生を記録する仕事はとてもエキサイティングだったが、しばらくすると、毎日同じ日課のくりがえしになってきた。選挙戦の爆発的なエネルギーが懐かしかった。次から次へと新しいことが起こり、人はどなり、叫びあっていた。ニューヨークは、カメラマンのわたしにとっては、ワシントンよりも可能性にあふれる場所だった。

ケネディ家とは連絡をとりつづけ、ホワイトハウスにも１、２度顔を出した。そのおりわたしは、ルムンバの死を知らされた瞬間の大統領の写真を現像してもって行った。わたしはこれを、ジャックの驚いた表情をとらえた写真のなかでは最高の１枚だと思っていて、ジャックにサインしてくれるよう頼んだ。ジャックはいたずらっぽくにやりと笑うと、写真をデスクにおいた。それから額に手をあて、写真をまねて当惑の表情を浮かべた。ジャックは深刻ぶった口調で、「ジャック・ロウがまたホワイトハウスに現れたのか！」と言うと、そのせりふを写真に書いてくれた。

1963年11月22日の朝、わたしはセントラル・パークで、フォルクスワーゲンの広告用写真の撮影を終えた。２時間後に、自分のスタジオで黒人ジャズミュージシャンのカルテットを撮影する仕事が入っていたので、わたしはダウンタウンを29丁目まで歩いて戻ることにした。６番街まできたとき、異様な雰囲気が漂っていた。なにがどうおかしいのかはっきりとはわからなかったが、そのうち６番街を走る車がないことに気づいた。だれもが道路脇に車を止め、周囲には人が集まっている。そのうちの１台に近づくと、そこに集まってみんなラジオを聴いている。「なにごとです」わたしは運転手に聞いた。

「大統領が撃たれたんだ」

最初は意味がわからなかった。「大統領ってどこの？」

「ケネディ大統領だ」

身がすくみ、背筋に冷たいものが走った。わたしはかけ出した。スタジオちかくまできたとき、わたしとジャックのつきあいを知っている近所の店のおやじたちが声をかけてくれた。「心配ない。死んじゃいない、だいじょうぶだ！」

スタジオの階段をかけ上ったわたしの目に、涙を流すミュージシャンとわたしの秘書の姿が飛びこんできて、わたしはジャックが亡くなったことを知った。

その夜、ワシントンに向かった。わたしはホワイトハウスのピエール・サリンジャーのオフィスで、暗殺のあとに起こった、恐ろしく信じられないようなできごとを目撃した。テレビに映ったのは、リー・ハーヴェイ・オズワルド殺害の瞬間だった。葬儀の前にロバートとエセルとは会えたが、ジャッキーと顔を合わせる機会はなかった。だが葬列では、わたしはジャッキーのそばを歩いた。葬儀が終わり、日没のときに、わたしはジャック・ケネディ最後の写真を撮影した。

ジャックの暗殺後も、わたしはボビーやケネディ家の人々と連絡をとりつづけた。しかしボビーが暗殺されると、わたしは国を出た。どうしたらいいかわからなかった。最初はジャック、それからマーティン・ルーサー・キング、そしてボビー。ショックはあまりに大きく、わたしは12年ものあいだ１枚の写真も撮らなかった。ヨーロッパに渡ってフランスにシャトーを買い、そこに芸術家村のようなものを作り、画家やミュージシャン、カメラマンを招いた。それから、美術書や写真集といった、いわゆる「ビジュアル・アート」の出版ビジネスもはじめた。ケネディ家との日々に思いが向かないようにしていたのかもしれない。1983年に帰国してまたこの国で暮らしはじめたが、ニューヨークにポートレート写真専門のスタジオを開くのは、ようやく1988年のことだった。いろんなところから要請を受けたものの、わたしは1990年までケネディの写真を展示することはなかった。1991年に、わたしはモスクワで写真展を開いた。ソ連の強硬派がミハイル・ゴルバチョフ退陣をもくろんだ、８月クーデター失敗の直後のことだった。写真展はお祝いムードになり、バブーシュカをかぶった女性がやってきては写真の下に花束をおいてくれるし、来場した人たちは涙を浮かべ、何度も見に戻ってくる。ロシアの一般市民がこんなにもジャックを好きだったとは、思ってもいなかった。写真展がオープンしたときわたしは、当時のソ連外相エドアルド・シェワルナゼと見てまわった。シェワルナゼは、ルムンバ暗殺の知らせに驚くジャックの写真に見入った。「どうしてこんな写真を撮らせたんでしょう」と彼はたずねた。西側世界のリーダーともあろうものが、絶望の瞬間の、ひとりの人間としての姿をさらすことが理解できなかったようだ。ひととおり見たあと、シェワルナゼはもう一度この写真を見たいと言った。「でも、大統領は、ご存命中にこの写真をご覧になったことはなかったのでしょう？」。見ていたら、破り捨てただろうと言いたいのだ。

エピローグ

「いやいや、見ましたよ」。わたしは答え、サインしてくれた話をした。シェワルナゼはますます理解に苦しんでいた。それまで彼が目にした共産党指導者の写真、あるいは自身の写真は、デスクの前に堅苦しく座り、真剣な表情のものばかりだったのだ。だがこの写真こそ、ジャックのユニークさが表れたものだ。ジャックはまったく気どりがなく、意味のない慣例には我慢できないたちだった。1998年、わたしはパリのユネスコ本部で写真展を開催した。オープニングでは、ロバート・F・ケネディ・ジュニアもあいさつに立ってくれた。ジュニアとは何年も会っていなかったので、オープニング式典の前にはふたりで再会を喜びあった。あいさつでは、ジュニアはわたしのことをこう紹介した。「ロウさんはわが家のすばらしい友人でした。わたしが子どものころは、目が覚めたときにはもう家にいて、ベッドに入るときにもいたのですよ」

その後、RFKジュニアとわたしは連絡を絶やさなかった。そういえば、はじめて会ったとき、ジュニアはまだ2歳半だった。わたしの写真に触れて、父親が暗殺されたときに失われてしまったすばらしい世界に、いくらかでも近づけたのではないかと思う。だがジュニアもわたしに、ケネディ家と過ごした懐かしい日々を思い出させてくれた。ようやくわたしは、思い出と向き合う気になれたのだった。

ときに自問することがある。なぜわたしだったのだろう。ボビーと会ったのは26歳のとき、ジャックとは28歳のときだった。なぜジャックはわたしにそばにいて、記録をとるよう頼んだのだろう。そしてなぜわたしはそこにとどまり続けたのだろう。本音をいえば、ニューヨークに戻ってもっと稼ぎたいと思っていたときにも。ジャック・ケネディとボビー・ケネディには、わたしが信じられるもの、尊敬できるもの、そしてわたしにはない大きさがあった。ジャックが命を落としたときに、わたしたちはすべてを失ってしまったのだ。

索引

イタリック体はキャプション
「JFK」はジョン・フィッツジェラルド・ケネディ（ジャック）
「RFK」はロバート・フランシス・ケネディ（ボビー）

謝辞

光栄にも、多くのクリエイティブな方々とともに父の回想録に取り組むことができ、また皆様の支援があってこそ、父の記録を遺したいというわたしの願いは実現した。こうして父の声をよみがえらせる過程においては、有意義で恵まれた経験をさせていただいた。

まず、本書がまだアイディア段階であったときに構想を練り、プロジェクトの各段階に目を配ってくれたヒューゴ・フリーシュマンに感謝の気持ちを述べたい。

それから、制作当初から熱心に取り組み、父の写真を多くの読者に届けてくれるテームズ&ハドソン社のスタッフに心からお礼を申し上げたい。ピーター・ワーナーは、膨大な資料からジグソー・パズルのピースのような断片を、細心の注意を払い根気強く集めてくれた。ギャビン・フォワードは父のアルザスなまりを辛抱強く聞きとってくれた。

また、フランク・ハーヴェイとバービー・ハーヴェイには、おふたりが所有する父の写真を、こうして公表することに快く協力いただいたことにお礼申し上げる。これこそ友情のあかしだ。

アダム・ブラウンはデザインの細部にこだわり、魔法のような手腕で美しい本に仕上げてくれた。本の仕上がりと、この出版プロジェクト全体にかかわってもらったことに感謝している。

最後に、この本を家族にささげたい。ジャミー、ヴィクトリア、サッシャ、クリスティナ。みな、わたしと同じく宝物のように思っているはずだ。

トマシーナ・ロウ